Susy Nelson

LE FUTUR REVELE PAR LES CARTES

Manuel pratique de cartomancie

DE VECCHI POCHE
20, rue de la Trémoille
75008 PARIS

Traduction de Henriette Cristofari

© 1987 Editions De Vecchi S.A. - Paris
Imprimé en Italie

Introduction

L'homme a toujours été curieux de connaître son avenir, car sa vie, quelle qu'elle soit, est constellée d'événements agréables et désagréables; savoir à l'avance s'il lui faudra souffrir ou se réjouir lui permet en quelque sorte d'être mieux préparé à affronter son destin.

Ce qui l'effraie et qu'il veut déceler grâce à une connaissance magique, c'est l'imprévu; ce facteur impondérable de la vie humaine qui le rend prudent, le remplit d'anxiété et de peur, mais aussi d'espoir et d'illusions.

Les anciens interrogeaient le destin en utilisant les viscères d'animaux fraîchement tués, dans l'espoir de tirer de bons présages pour le futur. Puis, avec le temps et l'évolution des civilisations, on eut recours à des méthodes moins cruelles. Parmi ces dernières, la cartomancie occupe la place d'honneur. Croire en la vérité des cartes est un acte de foi. On y croit ou on n'y croit pas. Mais la plupart des personnes, même les plus sceptiques, sont irrésistiblement attirées par cet art. Et étant donné que l'âme de l'homme ne change pas à travers les siècles, ce sont les mœurs qui changent; la cartomancie ne passe jamais de mode, et je dirai même qu'elle est de nouveau très en vogue. Les cartomanciens et cartomanciennes sont d'ailleurs accablés de personnes qui veulent "tout" savoir sur ce qui concerne leurs affaires, leur santé, leurs amours et leur argent.

Chaque cartomancien a sa "clientèle (privilégiée)" qui ne

se fie qu'à lui (ou à elle) car entre le devin et le consultant s'est établi à la fois un rapport magique et humain.

Il ne faut pas s'étonner si à une époque rationaliste comme la nôtre — l'époque des ordinateurs — on croit encore à ce que les sceptiques méprisent et honnissent. C'est justement dans les périodes où prime la raison que l'on recourt à la magie; c'est ce que l'on appelle le revers de la médaille. Il suffit de penser par exemple au XVIIIe siècle, le siècle des Lumières, où l'alchimie, la magie et la cartomancie eurent une place de premier ordre.

On ne peut pas s'improviser devin, car pour devenir un bon cartomancien, il faut de l'étude et de la patience. En plus, il faut une certaine prédisposition et de l'intuition, c'est-à-dire des qualités qui ne s'enseignent pas. Il faut en outre que le cartomancien "croie" vraiment en l'art qu'il exerce. Il est même assez fréquent que les cartomanciens interrogent les cartes quant à leur propre avenir.

On ne peut assurer que les cartes prédisent la vérité de façon absolue: ce serait un acte de présomption; cependant, si cet art est exercé avec conscience et sérieux et si l'on réussit à établir un certain *feeling*, c'est-à-dire un rapport magique et impondérable entre le cartomancien et le consultant, les cartes représenteront une aide valable pour connaître plus à fond des situations en cours ou qui doivent arriver. Ce qu'il faut, c'est une grande concentration.

Ce livre a pour but de vous enseigner tout ce qui concerne la "pratique" pour devenir cartomanciens; c'est un texte d'étude qui vous permettra de connaître les méthodes et les règles consacrées par la tradition et qui servent à prédire l'avenir, même s'il s'agit seulement d'un futur proche. L'intuition, la prédisposition et le fait de "bien savoir lier le discours" de façon que les divers faits qui auront lieu soient enchaînés entre eux... cela ne dépend que de vous.

L'AUTEUR

Aspects historiques

Tandis que le jeu de cartes fut répandu en France vers la fin du XIVᵉ siècle, c'est à la fin du XVᵉ siècle que la cartomancie vit le jour; d'après les documents qui nous restent, il s'agissait cependant de cartes bien différentes de celles que nous connaissons aujourd'hui. C'était une espèce d'imitation des tarots égyptiens avec lesquels les prêtres de l'antique Egypte, initiés aux mystères d'Isis et d'Osiris, prédisaient l'avenir.

Durant le XVIᵉ siècle, la cartomancie fut pratiquée en France par des hommes de lettres au niveau culturel très élevé et elle trouva donc sa place en tant que science artistique à côté d'autres disciplines comme l'astronomie, la physique, la philosophie, etc.

Seules les personnes non informées persistent à croire que ceux qui prédisent l'avenir sont des charlatans et des filous. Tous les grands personnages du passé, sérieusement attirés par ce nouvel art, ont cru avec ferveur à la possibilité de connaître l'avenir grâce aux cartes: Charles V le Sage fonda même à Paris (rue du Foin Saint-Jacques) une bibliothèque entière formée de 910 volumes consacrés à cette nouvelle science occulte et à l'astrologie. Quant à Louis XI, on raconte qu'il ne voyageait jamais sans être entouré d'astrologues et de cartomanciens. Les cardinaux Richelieu et Mazarin, les plus célèbres ministres de la France du XVIIᵉ siècle, avaient l'habitude de les consulter régulièrement.

L'intérêt pour la cartomancie se développa au cours du temps, et au XIXe siècle, le roi de France Louis XVIII, l'Impératrice Joséphine et l'Empereur Napoléon 1er consultaient Monsieur Moreau et Mademoiselle Lenormand, de très célèbres cartomanciens de l'époque. Mademoiselle Lenormand qui fut la cartomancienne la plus connue du XIXe siècle avait une clientèle très vaste, composée de personnages situés au plus haut niveau dans le domaine des sciences, des arts, de la magistrature et de la philosophie. Les cartes de cette époque étaient semblables à celles que nous utilisons actuellement pour les divers jeux que nous pratiquons et pour la cartomancie, mis à part la divination par les tarots dont la lecture est plus particulière. Au siècle précédent, une autre cartomancienne très connue eut un succès énorme à Paris: il s'agit de Mademoiselle Aliette, un devin consulté par les personnages les plus éminents du XVIIIe siècle. Ensuite, sous le règne de Napoléon III, ce fut Madame Clément qui était la cartomancienne la plus célèbre de son temps; et tous les membres de la famille royale la consultèrent pour connaître leur avenir.

Le succès que connut la cartomancie depuis l'antiquité jusqu'à nos jours est dû au fait que de tous les arts divinatoires, la prédiction par les cartes est le plus populaire et celui qui présente le moins de difficultés du point de vue pratique.

La cartomancie est une science très vaste, aussi est-il logique que ses méthodes soient aussi nombreuses; de même, chaque discipline qui se respecte est caractérisée par diverses tendances et diverses écoles. Ce qui varie, c'est la façon de distribuer les cartes, le nombre de cartes à consulter et également l'interprétation elle-même.

L'avenir est une immensité sans horizon, un océan dont nous ne voyons pas la rive opposée, un champ immense qui se déroule sous nos yeux, fertile en projets, en peurs et en espoirs.

Nous connaissons bien le passé, riche en souvenirs heureux ou tristes; nous connaissons le présent sous la forme d'une image fugace et éphémère de l'instant qui passe, et qui est bref si les événements sont joyeux, mais très long s'ils sont tristes. Il est normal que l'homme se sente depuis toujours irrésistiblement attiré par la connaissance de son avenir.

La signification des couleurs

Symbolisme des couleurs

Chaque jeu normal de 52 cartes (en excluant le Fou qui, en cartomancie, est toujours mis à part avant de mélanger les cartes) est formé de quatre "signes" différents que l'on appelle *couleurs*. Ces couleurs sont: les carreaux, les cœurs, les piques et les trèfles. Chaque couleur est composée de 13 cartes, y compris les figures. En outre, chaque carte a un numéro particulier qui permet d'approfondir la signification générale de la couleur à laquelle elle appartient. Ceci vaut pour tous les jeux de cartes comme le "scopone" scientifique (une espèce de belote italienne), la brisque ou la canasta.

Les quatre couleurs

En ce qui concerne la cartomancie, il faut dire avant tout que cet art est basé sur le symbole. Chaque couleur a une signification générale qui deviendra plus détaillée selon le numéro de la carte prise en considération.

En bref, chaque couleur évoque un concept; c'est un peu comme le cas des hiéroglyphes égyptiens ou des idéogammes chinois. Mais qui attribua un symbole déterminé à chacune des quatre couleurs? Nous ne le saurons jamais, car ces symboles dérivent en partie des tarots anciens utilisés pour prédire l'avenir (s'inspirant des tarots égyptiens) et furent d'autre part établis au cours des siècles passés par des cartomanciens experts qui se basèrent totalement sur l'expérimentation pratique.

La cartomancie moderne, quelle que soit la méthode utilisée pour "placer les cartes", utilise les symboles transmis et confirmés par la plus haute tradition.

Bien qu'il soit difficile de généraliser la signification des diverses couleurs, étant donné que le numéro qui marque chaque carte joue un rôle dans la prédiction, je vais donner néanmoins quelques indications théoriques générales.

Les significations heureuses ou funestes pour chaque couleur

Ce qui compte pour un cartomancien déjà expert, c'est le tableau général et l'ordre dans lequel apparaissent les cartes (une fois qu'elles sont disposées sur la table), c'est-à-dire la vision d'ensemble des cartes découvertes qui définit la situation du moment de celle (ou de celui) qui veut connaître son destin; cependant, on peut théoriquement définir avec une certaine approximation la signification de chaque couleur.

CŒURS

Les cartes qui appartiennent à la famille des cœurs se réfèrent au monde sentimental, aux états d'âme, dans toutes leurs nuances; elles prédisent des amours heureux ou malheureux, des passions impétueuses, des défaites et des succès, des insatisfactions spirituelles, des inquiétudes amoureuses. On peut dire que les cartes de cœurs reflètent (en bien ou en mal selon le destin) l'état d'âme intérieur présent et futur du consultant.

CARREAUX

Les carreaux appartiennent au monde des événements; ils prédisent la possession matérielle, le triomphe dans les affaires, des avantages imminents, des cadeaux, des rentrées d'argent, des voyages, la trahison ou la fidélité d'amis. Dans la lecture des cartes de carreaux, le consultant est donc un sujet passif, celui qui subit les faits de la réalité concrète.

TRÈFLES

Les cartes de la famille des trèfles se réfèrent aux événements proches d'ordre spirituel; les absences, les réconciliations, les contrariétés qui finissent bien, les nouvelles bonnes ou mauvaises, les nouvelles imprévues qui apportent joie ou douleur, les potins, etc. Dans ce cas également, le consultant est le sujet passif, à moins qu'il ne sache à l'avance ce qui arrivera et qu'il ne prenne ses dispositions pour affronter les événements; ces cartes signifient également bien-être, sérénité, équilibre voilé d'une certaine mélancolie.

Les piques sont en rapport avec des événements négatifs imprévus, aussi bien d'ordre pratique que spirituel: un échec inattendu ou au contraire prévu et appréhendé, des personnages qui vous en veulent et qui vous barrent le chemin, la séparation de la personne aimée, des dépressions, la douleur, la maladie, la disparition, la mort du conjoint, les affaires qui vont mal, des duperies, l'inconstance de personnes auxquelles vous tenez, des discussions, des litiges, des ennuis...

Le consultant est le sujet passif, celui qui subit les adversités.

Mais ceci n'est qu'une présentation générale. Ainsi que je l'ai déjà dit, ce sont en fait les cartes qui mises en place et lues dans leur contexte nous laisseront entrevoir notre futur. Une carte funeste suivie d'une carte favorable voit sa signification atténuée. C'est là qu'entre en jeu l'habileté du cartomancien; il doit savoir lire les cartes dans leur ensemble, sans sous-estimer pour autant la lecture de chaque carte en particulier. Pour résumer, nous pouvons dire que les cœurs, les trèfles et les carreaux sont de bon augure, tandis que les piques indiquent les adversités.

La prédiction varie selon la proximité des couleurs entre elles

Cependant, chaque couleur n'a une signification précise qu'en fonction de la couleur de la carte qui la suit et qui la précède; ce facteur basilaire est extrêmement important pour la lecture des cartes. En effet, une prédiction peut changer complètement: par exemple, un pique qui annonce un malheur a comme pendant un trèfle qui prédit le triomphe sur un danger. Dans ce cas, on pourra prévoir le danger d'un événement funeste qui sera cependant évité. Ainsi, un carreau qui annonce une lettre ou une nouvelle, pourra être — dans un certain sens — neutralisé par une carte de cœur qui apporte de "tristes nouvelles".

La position des couleurs dans le tableau général

Si les quatre couleurs apparaissent toutes avec une grande variété de numération, cela signifie que le futur sera riche en événements, désagréables ou agréables, mais il faut également faire attention à la place à laquelle se trouve chaque carte. Si sur quatre cartes sortant à la suite, deux sont des trèfles, tandis que les deux autres sont un carreau et un pique, ces cartes symbolisent le succès et la fortune. Madame de Pinet soutenait que lorsque dans un "tour" de cartes apparaissaient 7 cartes de carreau situées ici et là dans diverses positions, cela symbolisait l'imminence d'une situation catastrophique, aussi bien en amour que dans les affaires; de même, quatre piques consécutifs annonçaient des espoirs déçus, des maladies imminentes. Mademoiselle Aliette attribuait une attention particulière à la première et à la dernière carte du tour; si le destin faisait sortir en premier lieu un trèfle (indépendamment de sa signification symbolique) et en dernier un cœur, cela signifiait que l'avenir, tout en étant riche en mésaventures, aurait en tout cas une fin heureuse. Il faut également ajouter que selon les écoles de cartomancie et les diverses méthodes de disposition des cartes sur la table, aussi bien en ce qui concerne leur quantité que leur composition, les quatre couleurs du jeu acquièrent des significations différentes et souvent antagonistes entre elles. C'est donc le lecteur qui choisira la méthode qui lui convient le mieux (on parlera du symbolisme des cartes prises une à une ou en groupe).

Position du consultant par rapport au cartomancien

La position correcte

Pendant une séance de cartomancie, le plus petit détail peut revêtir une extrême importance. Il ne faut donc pas sous-estimer la position du consultant par rapport au cartomancien, le milieu environnant, le climat psychologique, la concentration. En premier lieu, la séance doit se dérouler dans un endroit retiré, sans que des tierces personnes puissent interférer ou distraire le cartomancien et la personne qui est venue le consulter, sans quoi la prédiction ne serait qu'approximative voire faussée. De même, en ce qui concerne la position correcte que doivent prendre le consultant et le cartomancien, les opinions varient selon les écoles; et l'on ne peut pas affirmer qu'un système soit meilleur qu'un autre.

Par exemple, en Italie, le cartomancien fait asseoir son interlocuteur face à lui, de l'autre côté de la table; ainsi, à chaque verdict et au fur et à mesure que les cartes "sortent" et qu'il doit les interpréter, le cartomancien peut regarder le consultant droit dans les yeux. Ainsi, il s'établit à chaque fois un rapport d'expression et pas seulement un rapport verbal. Un cartomancien expert pourra déceler dans l'expression de son client, s'il a affaire à une personne sceptique ou appréhensive, si elle s'intéresse plus aux questions de cœur ou d'affaires; s'il s'agit d'une personne hésitante et timide ou bien entreprenante, s'il est possible de lui révéler aussi la signification des cartes funestes ou bien s'il faut "doser" opportunément les prévisions malheureuses. Cette position en "vis-à-vis" offre donc des avantages d'ordre psychologique. L'intuition du cartomancien, qui sait recueillir les diverses expressions de crainte ou d'attente de son client, en fait non seulement un devin mais aussi un psychologue.

Par contre, en France et dans d'autres pays européens, l'habitude veut que le cartomancien place le consultant à sa gauche, de façon qu'il puisse non seulement regarder attentivement son visage et en cueillir les diverses expressions, lorsqu'il coupe le jeu ou pendant la lecture symbolique des cartes, mais aussi dans le but d'établir un contact presque physique qui rende la séance plus "liante" et surtout plus "concentrée".

Mademoiselle Lelièvre tenait à ce que le consultant soit assis à sa gauche, tout près d'elle, de façon que le bras droit du consultant effleure son bras gauche. Ainsi, soutenait-elle, elle établissait un rapport très rapproché et concentré qui influençait les cartes qui allaient sortir pour la prédiction.

Il est probable que Mademoiselle Lelièvre était tellement expérimentée et impliquée dans la cartomancie qu'elle n'avait pas besoin de fixer son consultant dans les yeux.

Concentration et "feeling", des facteurs d'importance primordiale

Nous avons déjà souligné combien la concentration est importante pendant une séance de cartomancie. Cette science occulte qui requiert des connaissances et de la pratique a trop souvent été dépréciée et traitée comme un jeu quelconque, juste "pour passer le temps". Tous les moments ne sont pas propices pour tirer les cartes; il faut une disposition d'esprit particulière, la possibilité de se concentrer attentivement sur les diverses significations des symboles pour ne pas rendre un verdict erroné, être disponible pour un rapport humain qui implique de grosses responsabilités. Il en est de même pour celui qui désire connaître son avenir: il doit être dans un état d'âme approprié, être confiant et curieux. Si ces conditions d'une concentration correcte ne sont pas remplies, il vaut mieux reporter la séance. En outre, il faut qu'il y ait un *feeling*, c'est-à-dire une entente entre les deux personnes qui entrent dans un contact spirituel particulier. Par exemple, une vive antipathie entre la cartomancienne et le consultant rendra la première tendue et mal disposée, tandis que le deuxième sera anxieux et manquera de confiance.

Edmond, un célèbre cartomancien de la seconde moitié du XIXe siècle (un des rares hommes de l'histoire de la cartomancie), refusait de tirer les cartes aux personnes qui lui étaient antipathiques. Il lui suffisait un coup d'œil pour s'en rendre compte. Ceci n'était sûrement pas une bizarrerie de son caractère, mais une véritable preuve de conscience professionnelle.

Comment couper le jeu. L'importance de la main gauche

Bien que la cartomancie n'ait rien à voir avec la sorcellerie, il existe néanmoins des règles magiques transmises depuis toujours, qu'un cartomancien digne de ce nom doit suivre. Après avoir mélangé et remélangé le jeu, il le fera "couper" par le consultant. C'est un moment "magique" de grande concentration pour tous les deux. Et il ne faut

17

pas être distrait durant cette opération. Aucune personne étrangère ne doit se trouver aux alentours. Le jeu devra être coupé de la main gauche, appelée depuis des siècles "la main du cœur", car c'est à cette main que l'on attribue le monde des sentiments et des espoirs, de l'amour et des chagrins. Les cartes qui sortiront au début de la séance seront en relation avec la façon par laquelle le jeu a été coupé. Par conséquent, le verdict peut changer si l'opération n'a pas été faite avec concentration et sérieux.

La main gauche ou main du cœur

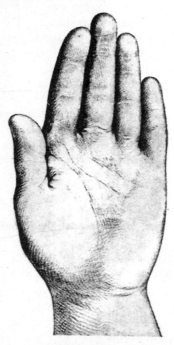

18

La pensée du oui ou du non

Comment distribuer les cartes sur la table

La distribution des cartes sur la table (effectuée par la cartomancienne), c'est-à-dire la position qu'elles prendront, est extrêmement variable, car chaque école ou système de cartomancie a ses propres règles qui doivent être scrupuleusement appliquées. Nous verrons par la suite, lorsque nous expliquerons le déroulement des jeux, que chaque méthode prévoit une disposition spécifique des cartes et utilise en outre un nombre précis de cartes qui varie énormément d'une méthode à l'autre. Les règles des divers jeux sont fonction de la méthode choisie.

En général, les cartes sont disposées en une seule ligne horizontale (au premier tour) qui peut être droite ou former un éventail, mais si la quantité de cartes utilisées dépasse les 32 cartes normalement utilisées pour prédire l'avenir, alors on pourra les disposer en deux lignes. Dans un jeu normal (sauf exceptions, pour les jeux plus compliqués destinés aux experts) on élimine, pour chaque couleur, les cartes portant les numéros deux, trois, quatre, cinq et six. Il est donc fréquent de n'utiliser que les 32 cartes d'un jeu de 52 cartes. En effet, les cartes conservées sont les as, les rois, les dames, les valets, les dix, les neuf, les huit et les sept de chaque couleur.

La pensée du "oui" ou du "non"

Il existe un usage très ancien selon lequel la cartomancienne demande au consultant, à la fin de la séance, s'il
désire se concentrer sur un sujet précis: affaires, santé,
amour, etc. Ce dernier jeu, très bref (mais qui s'exécute
selon divers systèmes), est appelé le "tour du oui ou du
non".
A mon avis, la méthode la plus valable pour enseigner une
science ou un art, y compris la cartomancie, consiste à
commencer par les choses les plus simples pour arriver
aux choses les plus compliquées; c'est la raison pour
laquelle je commencerai donc par "la pensée du oui ou du
non" qui vous permettra de vous initier à cette science
occulte fascinante qu'est la cartomancie.

Comment s'exécute le jeu du oui ou du non

MÉTHODE N° I

Mademoiselle Aliette avait l'habitude de consulter les cartes pour connaître la réussite d'un problème, selon le système suivant qui est facile à exécuter.
On mélange bien un jeu de 32 cartes et on le fait couper
par le consultant (Mademoiselle Aliette le coupait elle-
même) après que ce dernier se soit fortement concentré
sur le sujet qui l'intéresse en particulier. Par exemple: si
une affaire se conclura positivement, si l'amour sera heureux ou non, si le mariage désiré aura lieu, si la santé ne
posera pas de problèmes.
On prendra ensuite 17 cartes une à une sur le dessus du
paquet et on les éparpillera au hasard sur la table. Le

consultant devra alors extraire trois cartes. Si parmi ces trois cartes (retournées) se trouve l'as de cœur, le succès est assuré; si cette carte est accompagnée de deux trèfles, le succès est imminent; si l'as de cœur est absent, l'affaire n'aboutira pas.

Si celui qui vous interroge sur son avenir veut des informations sur un sujet spécifique comme l'amour, la santé, l'argent, le succès, procédez selon le schéma suivant.

Pour la réussite en amour

En utilisant la méthode que je viens de décrire, et après avoir demandé quel est le thème choisi (qui dans ce cas est l'amour), faites couper le jeu et disposez les premières 21 cartes sur la table sans les retourner; faites-en choisir sept (au hasard) par le consultant. Si ce dernier est une femme et si parmi les sept cartes découvertes apparaît le valet de trèfle, cela signifie que le succès amoureux avec l'homme de ses pensées est assuré. Si le consultant est un homme, c'est la dame de trèfle qui doit sortir. En cas contraire, c'est un "non" et le succès n'est pas certain.

Pour la conclusion d'une affaire

Toujours en procédant de la même manière, disposez les neuf premières cartes sur la table en les découvrant. Si parmi elles apparaît l'as de carreau, l'affaire se conclut, autrement, c'est un "non".

Pour connaître le résultat d'un procès

Mélangez le jeu et faites-le couper après une concentration intense. Disposez 13 cartes sur la table sans les retourner. Faites-en choisir neuf par le consultant qui les posera sur la table, toujours retournées. Remélangez ces neuf cartes, faites-les couper à nouveau et faites-en choisir six autres. Si parmi ces cartes maintenant retournées apparaît le dix de trèfle, le triomphe est assuré; si c'est le neuf de carreau qui sort, le procès sera renvoyé, mais si c'est l'as de pique, le procès sera perdu.

En ce qui concerne la santé
Après avoir mélangé le jeu et après l'avoir fait couper, faites extraire 15 cartes du jeu que vous disposerez couvertes sur la table. Faites-les retourner par le consultant. Si c'est le huit de trèfle qui apparaît, le verdict est favorable, mais si c'est le roi de pique, des complications sont à prévoir.

En ce qui concerne les nouveautés
Lorsque le consultant vous a communiqué le thème choisi, mélangez le jeu et faites-le couper; prenez ensuite deux cartes à partir du fond et découvrez-les. Si une des deux cartes est le dix de cœur, la réponse est "oui", s'il est absent, la réponse est "non".

MÉTHODE N° 2

Demandez à la personne pour laquelle vous allez faire le jeu du "oui ou du non" de se concentrer fortement sur un sujet auquel elle tient particulièrement et pour lequel elle voudrait une réponse précise, quant à sa réussite ou son insuccès. Mélangez le jeu; faites-le couper par la main du cœur, c'est-à-dire la main gauche. Recomposez le jeu. En partant du dessus du paquet, retournez une carte en vous référant mentalement à la séquence numérique de chacune des quatre couleurs (cœurs, piques, trèfles, carreaux). La numérotation progressive que vous devez retenir est: sept, huit, neuf, dix, valet, dame, roi, as. La première carte découverte devrait avoir le même numéro que la première carte de la numération progressive, c'est-à-dire sept. Si c'est un sept (quelle que soit sa couleur), mettez-la à côté, découverte; sinon, éliminez-la. Suivez le même processus avec la seconde carte qui devrait être un huit, avec la troisième qui devrait être un neuf, la quatrième qui devrait être un dix, la cinquième qui devrait être un valet, la sixième qui devrait être une dame, la septième qui devrait être un roi, la huitième qui devrait être un as, et ainsi de suite en recommençant au début de l'échelle numérique; sept, huit, neuf, dix, valet, dame, roi, as, jusqu'à ce que le jeu de 32 cartes soit totalement épuisé. Chaque fois que vous découvrez une carte et qu'elle ne correspond pas à l'ordre numérique du tas (dont vous devez vous souvenir sans faire d'erreurs, pendant que vous faites le jeu), vous la mettez de côté. Après le premier "tour", laissez sur la table les cartes découvertes qui correspondent à votre échelle de numérotation (et dont le consultant ou la consultante ignore bien entendu l'existence).

Recommencez le jeu avec l'autre paquet. Répétez le même processus, jusqu'à ce que le tas soit épuisé. Si tout le jeu est épuisé au bout de sept tours et qu'il ne reste aucune carte, la réponse est un "oui" décisif. Si au bout de chaque tour sortent au moins trois cartes qui correspondent à la numérotation que vous retenez mentalement, le vœu formulé par le consultant se réalisera, mais pas tout de suite. Si par contre dans certains tours sortent des cartes justes et dans d'autres non, cela signifie qu'il y aura de graves obstacles, des retards et que le succès n'est pas encore certain. Si aucune carte ne correspond jamais à l'ordre numérique réel du tas, l'échec est indubitable.

Cette méthode de faire sortir le "oui ou le non" était la méthode préférée du célèbre cartomancien Edmond.

Après avoir bien mélangé le jeu de 32 cartes, faites-le couper de la main gauche par le consultant. Formez huit petits tas de cartes, en alignant tout d'abord quatre cartes, puis en formant une deuxième file de quatre cartes, jusqu'à obtenir huit tas de quatre cartes chacun. Ensuite, découvrez la première carte de chaque tas et mettez de côté les cartes ayant la même valeur, de façon à former des couples: deux valets, deux sept, deux dix, etc. Si vous n'avez aucune carte à accoupler, passez alors au second tour. Découvrez la seconde carte des huit tas et procédez comme nous venons de l'expliquer, c'est-à-dire que vous mettrez de côté, et deux par deux, les cartes ayant le même numéro. Passez ensuite à la troisième carte des huit tas et répétez le même processus. Puis, vous referez la même chose avec la quatrième carte (et la dernière) des huit tas. A chaque tour, vous mettrez de côté, en les couvrant, les cartes que vous n'avez pas pu accoupler. Prenez alors ces cartes et répétez toute l'opération depuis le début, mais en formant cette fois-ci quatre tas formés par le nombre de cartes restantes. Si le nombre de cartes est impair, laissez le dernier tas avec une carte en moins. Lorsque vous découvrirez la carte lors du second tour, vous laisserez dans le dernier tas la carte du premier tour, à moins que vous ayez pu l'accoupler. Si c'est le cas, vous mettrez à sa place la carte qui n'a pas trouvé son équivalent (toujours dans le quatrième tas) lors du tour où vous n'effectuez pas les accouplements. Si d'autres cartes sont encore éliminées, refaites un troisième tour; dans ce cas, les tas de cartes seront au nombre de deux. Si toutes les cartes s'accouplent, cela signifie que la réussite de l'entreprise est sûre et imminente. Si, à chaque tour, on réussit à accoupler au moins deux cartes, mais si à la fin il en reste quelques-unes, cela signifie que l'issue est incertaine ou renvoyée à une date ultérieure. Si vous ne trouvez aucune carte à accoupler, le vœu (posé sous forme de question) de la personne qui vous a consulté, ne sera pas réalisé, et par conséquent, la réponse est un "non" catégorique.

MÉTHODE N° 4 APPELÉE AUSSI MÉTHODE "DE LA PETITE PENSÉE"

Ce jeu de cartes a été appelé "jeu de la petite pensée" car il est très bref et doit fournir comme réponse un "oui" ou un "non" très expéditifs. Utilisé autrefois dans la province de Venise (c'est donc un jeu italien d'origine populaire), il était surtout utilisé pour obtenir des réponses sur les questions sentimentales qui ne fassent pas perdre de temps à la cartomancienne. Il paraît même que Casanova (très occupé par ses conquêtes amoureuses) aimait à se faire prédire ses succès ou ses insuccès en amour par cette méthode.

Nous l'avons réservé pour la fin car, bien qu'il soit d'une simplicité extrême, il a toujours été exécuté comme "grand final" des séances de cartomancie.

Lorsque vous aurez appris à tenir une véritable séance de cartomancie, vous pourrez faire ce jeu pour clore la séance. Mais il est également valable pour des consultations rapides. Nous espérons qu'en commençant votre apprentissage de cartomancien, l'excessive simplicité de cette "petite pensée" ne vous empêchera pas de poursuivre des études pour approfondir vos connaissances de cette science magique.

Le procédé est le suivant: après avoir bien mélangé un jeu de 32 cartes, faites-le couper de la main gauche du consultant. Découvrez une après l'autre 21 cartes du jeu. Si parmi ces cartes se trouvent l'as de cœur et l'as de trèfle, et en même temps, le roi de carreau et le roi de cœur (si le consultant est une femme), ou bien l'as de cœur et l'as de trèfle, en même temps que la dame de carreau et la dame de cœur, (si le consultant est un homme) la réussite est certaine. Si ces figures se trouvent parmi les douze premières, la réussite est même presque immédiate. Sinon, la réponse est "non".

MÉTHODE N° 5 APPELÉE ÉGALEMENT "PETIT JEU DU OUI ET DU NON"

J'ai voulu insérer après ce jeu traditionnel de "la petite pensée" un autre jeu rapide qui peut aussi servir de "grand final" après la séance divinatoire et qui est lui d'origine française (la France est d'ailleurs reconnue pour être le berceau de la cartomancie). On raconte que l'écrivain George Sand concluait ses jeux divinatoires par ce système du oui et du non. Mélangez bien le jeu; faites-le couper de la main gauche par le consultant en lui recommandant de bien se concentrer sur le problème qui le touche et pour léquel il désire recevoir une réponse précise. Maintenant, tirez 25 cartes en commençant par le haut du tas (la somme des deux numéros qui donnent 25, c'est-à-dire 2+5 est '7, chiffre magique), et en les couvrant. Mettez de côté tous les as que vous obt.endrez dans ce tour. Si les quatre as sortent tout de suite (chose improbable), la réponse est un "oui" net. Cela signifie que le souhait du consultant sera exaucé très rapidement. Si les quatre as ne sortent pas au premier tirage, vous pourrez faire deux autres tours maximum après avoir recomposé le jeu et en laissant de côté les as que vous avez découverts. Les as de cœur, de carreau, de pique, de trèfle doivent donc sortir au cours des trois tours si l'on désire que le succès soit assuré. Sinon, vous devrez décevoir celui qui a formulé la demande par un "non" catégorique.

Méthodes pour prédire l'avenir avec les cartes

Ainsi que je l'ai déjà dit dans l'introduction, les méthodes pour interpréter l'avenir sont nombreuses et très variées car elles dépendent directement des diverses écoles et orientations existantes. J'ai effectué un tri parmi toutes ces méthodes de prédiction, sans tenir compte du pays d'origine — la cartomancie n'a pas de frontières — et le lecteur pourra choisir celle qui lui convient le mieux.

En me basant sur un critère de commodité de la consultation, j'ai préféré regrouper les cartes en un seul chapitre, en les présentant les unes après les autres, avec leurs significations personnelles; vous pourrez remarquer que suivant les écoles, ces significations sont très souvent semblables, mais parfois presque antagonistes. A chaque prédiction (il y en aura plusieurs pour chaque "symbole" représenté par les cartes de jeu) correspondra un numéro. En consultant la signification des cartes, si l'on prend par exemple la signification n° 1 pour l'as de cœur, il faudra suivre pendant toute la consultation et pour toutes les autres cartes du jeu la prédiction n° 1. Il en est de même pour la prédiction n° 2; si ce genre de prédiction vous intéresse, vous la suivrez pendant tout le jeu que vous êtes en train de faire, et pareillement pour les autres prédictions.

Rappelez-vous qu'une méthode de prédiction ne vous

oblige pas à suivre à tout prix une signification symbolique déterminée. Vous pourrez choisir la méthode qui vous plaît et suivre librement le processus divinatoire qui vous convainc le plus. C'est également pour cette raison — et pour ne pas embrouiller la consultation — que j'ai prévu "à part" une espèce de petit dictionnaire de la prédiction, précédé par un chapitre sur la signification des as et des figures, seuls ou placés à côté d'autres cartes, et sur la signification des cartes simples qui varie lorsqu'elles sont regroupées.

Voyons maintenant plus en détail comment "se placent les cartes".

Méthode n° 1 ou méthode "de la magicienne Béatrice"

Je commencerai cette revue des diverses méthodes de cartomancie par ce jeu appelé jeu "de la magicienne Béatrice", qui n'est pas trop difficile à exécuter mais qui est néanmoins mirobolant et vous incitera à vouloir approfondir vos connaissances en la matière.

Premier tour. Prenez un jeu de 32 cartes (as, roi, dame, valet, dix, neuf, huit, sept), mélangez-le et faites-le couper par le consultant. Prenez ensuite 15 cartes et disposez-les en spirale sur la table (voir page 29). La première carte posée constituera le centre et le début de la spirale qui s'enroulera de la gauche vers la droite. Les cartes seront posées à l'envers. En partant de la première carte, comptez jusqu'à cinq (toujours de gauche à droite); retournez cette carte et lisez-la, puis en partant de cette carte découverte et interprétée, comptez encore jusqu'à cinq, retournez et interprétez la cinquième carte suivante. Continuez en comptant de cinq en cinq, jusqu'à la fin de la spirale.

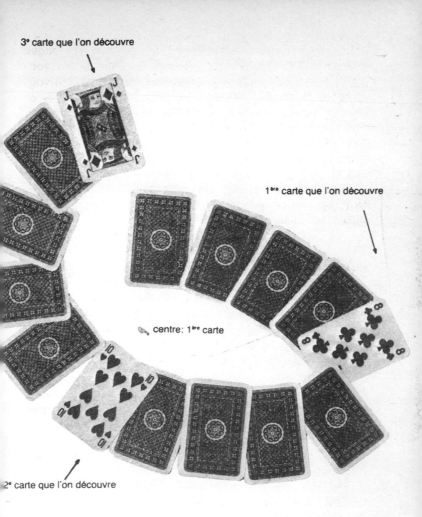

3ᵉ carte que l'on découvre

1ʳᵉ carte que l'on découvre

centre: 1ʳᵉ carte

2ᵉ carte que l'on découvre

Le jeu "de la magicienne Béatrice" durant le premier tour où l'on découvre la 5ᵉ carte

Retournez maintenant la quatrième carte à partir du début, et procédez de la même manière; puis, toujours en commençant par le début, retournez la troisième carte; continuez ainsi, en comptant de trois en trois jusqu'à ce que vous ayez fini le tour. Recommencez la lecture divinatoire en découvrant la seconde carte (à partir du début), puis la seconde qui suit et ainsi de suite. Arrivé à ce point, il vous faudra retourner la première carte de la spirale, puis la première carte du second groupe de cinq cartes (dont quatre cartes ont déjà été retournées), et ainsi de suite, jusqu'à ce que toutes les cartes de la spirale soient retournées et interprétées.

Second tour. Regroupez la première et la dernière carte de la spirale, la seconde et l'avant-dernière, la troisième à partir du début et la troisième à partir de la fin, etc. jusqu'à ce que toutes les cartes soient épuisées; à la fin, il ne restera qu'une seule carte que vous mettrez au fond. Au fur et à mesure que vous formerez les couples, vous disposerez les cartes découvertes en une seule colonne. Vous formulerez alors votre verdict en lisant ces cartes deux par deux.

Troisième tour. Réunissez les cartes que vous avez déjà lues, recomposez le jeu de 32 cartes, mélangez-le et faites-le couper de la main gauche.
Disposez de gauche à droite sur la table sept petits paquets de trois cartes, en ayant soin de disposer d'abord sept cartes, puis sept autres cartes au-dessus et enfin encore sept autres cartes. Les cartes doivent être retournées.

Le 1er paquet est POUR TOI
Le 2e paquet est CELUI QUI PENSE À TOI
Le 3e paquet est DANS LA MAISON — EN FAMILLE

Le 4e paquet est CE QUI DOIT ARRIVER
Le 5e paquet est CELUI QUI T'AIME
Le 6e paquet est CELUI QUI TE TRAHIT
Le 7e paquet est LE PLUS SÛR

En découvrant en même temps les trois cartes de chaque paquet, continuez à formuler votre prédiction. En ce qui concerne la signification symbolique des cartes (ceci est également valable pour les autres méthodes) vous la trouverez dans le chapitre "Toutes les cartes, une par une".

Méthode n° 2

Après avoir composé le jeu de 32 cartes sans le mélanger, faites-le couper par le consultant, sept fois de suite.

Premier tour. Disposez maintenant 24 cartes — sans les retourner — en quatre rangées horizontales de six cartes chacune (une rangée sous l'autre). En partant de la rangée supérieure, commencez à compter à partir de la gauche: 1, 2, 3 et arrivé à la quatrième carte, retournez-la et lisez-la; découvrez ensuite la troisième carte en faisant la même chose, puis la seconde et enfin la première. Si dans ce premier groupe de cartes apparaît la dame de trèfle (si le consultant est une femme) ou bien le valet de trèfle (si le consultant est un homme), ceci est de bon augure: cela signifie que le consultant est maître de la situation et ne traverse pas une période passive. Continuez le jeu: en partant de la première carte qui suit celle que vous venez de retourner (c'est-à-dire la quatrième à partir de la gauche), comptez jusqu'à quatre: vous aurez ainsi la carte qu'il faudra retourner et lire. En continuant ainsi à l'envers, vous lirez la troisième carte, puis la seconde, puis la première, jusqu'à ce que vous reveniez à la carte que vous avez retournée en premier lors du tour précédent, c'est-à-dire la quatrième carte à partir de la gauche. Continuez votre lecture selon ce système, en découvrant des groupes de quatre cartes les uns après les autres, jusqu'à ce que les cartes disposées sur la table soient épuisées. Lorsque vous les aurez toutes retournées et interprétées, jetez un coup d'œil au tableau général, en tirant des conclusions positives ou négatives sur la situation présente et future du consultant.

Contrôlez bien s'il y a des groupes de cartes qui ont une signification particulière qui puisse modifier la prédiction dans un certain sens.

Vous trouverez — dans le chapitre consacré aux significations que peuvent revêtir certaines cartes lorsqu'elles sont rapprochées à d'autres cartes — la lecture divinatoire pertinente.

Deuxième tour. En commençant par la première carte à gauche de la première rangée en haut, réunissez les quatre premières cartes: en même temps, réunissez les quatre dernières cartes de la dernière rangée que vous avez déjà lues et mettez-les, à l'envers, sur les quatre premières. Réunissez ensuite le deuxième paquet de quatre cartes déjà lues de la seconde rangée et mettez-le sur le jeu et faites-en de même avec les quatre cartes suivantes qui sont les avant-dernières de la dernière rangée. Continuez cette opération en rassemblant quatre cartes au début et à la fin du jeu, jusqu'à ce que toutes les cartes soient épuisées. Faites couper trois fois le jeu obtenu par le consultant (sans mélanger préalablement les cartes) et préparez trois paquets de huit cartes chacun, en procédant de la façon suivante: mettez sur la table la première carte du premier paquet, la première du deuxième paquet et la première du troisième paquet. **Disposez ensuite sur ces cartes: la seconde carte du premier paquet, la seconde du deuxième paquet et la seconde du troisième paquet et ainsi de suite.**

Le 1er paquet symbolise LES CONTACTS AVEC LE MONDE

Le 2e paquet (central) symbolise LE MONDE DE L'AMOUR ET DES SENTIMENTS

Le 3e paquet symbolise LE MONDE DU TRAVAIL ET DE LA MAISON

Retournez une après l'autre les cartes du premier paquet, en vous rappelant qu'il se réfère aux "contacts avec le monde", c'est-à-dire avec les étrangers que le consultant devra rencontrer; passez maintenant à l'interprétation, en considérant les huit cartes en même temps. Retournez ensuite le deuxième paquet en vous rappelant qu'il s'agit du monde des sentiments; et terminez, en consultant les cartes du troisième paquet qui concerne le monde des affaires.

Méthode n° 3

Ce jeu fait également partie des méthodes les plus courantes de prédiction, mais malgré sa simplicité, il est tout à fait valable pour fournir des informations assez riches quant à l'avenir du consultant. Cette méthode était, paraît-il, utilisée par les jeunes filles du XIXe siècle qui désiraient connaître leur avenir et tout savoir sur les questions d'amour.

Sans mélanger les cartes, faites couper le jeu trois fois de suite par le consultant. Puis, vous le remélangez bien et le faites couper encore trois fois par le consultant. Disposez

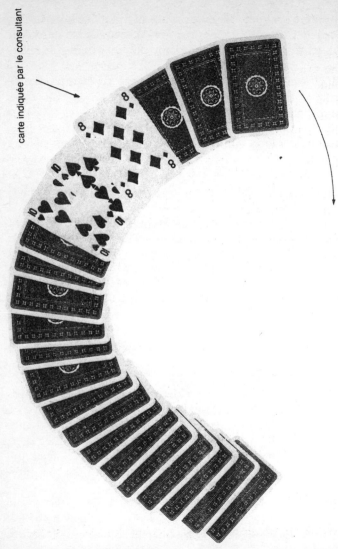

carte indiquée par le consultant

Méthode n° 3, jeu à peine commencé

21 cartes sur la table en les retournant et de manière à ce qu'elles forment un demi-cercle. Dites à la personne intéressée de bien se concentrer sur les cartes puis d'indiquer une des cartes en pensant à un sujet précis, par exemple l'amour. Vous retournerez deux autres cartes à gauche de la carte indiquée par le consultant. Le consultant devra vous dévoiler à chaque fois de quel sujet il s'agit, de façon que la prédiction soit exacte. C'est à partir de ces trois premières cartes que commencera le jeu, qui se déroulera dans le sens contraire des aiguilles d'une montre, c'est-à-dire toujours de droite à gauche. Avant de retourner trois autres cartes, demandez au consultant quelle est la question qui l'intéresse; retournez alors les cartes et procédez à l'interprétation. Continuez de cette façon (le sujet choisi à chaque fois peut être aussi plus détaillé), jusqu'à ce que vous ayez lu les 21 cartes, concernant les sept sujets différents. Réunissez les 21 cartes, faites couper le jeu et divisez les cartes en sept paquets de trois cartes. Vous lirez ces cartes et ferez votre prédiction pour chacun des paquets en tenant compte que:

le 1er paquet est POUR TOI (C'EST-À-DIRE POUR LE CONSUL-
TANT)
le 2e paquet est CELUI QUI PENSE À TOI
le 3e paquet est DANS LA MAISON
le 4e paquet est CE QUI DOIT ARRIVER
le 5e paquet est CELUI QUI T'AIME
le 6e paquet est CELUI QUI TE TRAHIT
le 7e paquet est LE PLUS SÛR

Méthode n° 4

Prenez un jeu de 32 cartes, mélangez-le bien et faites-le

couper avec concentration par le consultant. En commençant par la partie supérieure du paquet, étalez quatre cartes à la fois sur la table, en les découvrant et en commençant l'opération par la première carte. Parmi ces quatre cartes, choisissez celles qui sont de la même couleur. Par exemple, si vous trouvez un huit de trèfle, un roi de carreau, un as de cœur et un valet de trèfle, vous mettrez de côté le huit de trèfle et le valet de trèfle; vous éliminerez les deux autres cartes. Epuisez toutes les cartes du jeu en en prenant quatre à la fois et en effectuant la même opération de triage. Refaites un jeu avec les cartes éliminées. Faites-le couper de la main gauche; recommencez à disposer les cartes sur la table, mais en en prenant seulement trois à la fois. S'il ne reste que deux cartes à la fin du jeu, prenez-les toutes les deux. Il en est de même s'il ne reste qu'une seule carte.

Premier tour. Mettez les cartes découvertes sur la table en formant une colonne. Vérifiez si parmi ces cartes se trouve la carte qui symbolise le consultant (en général la dame de trèfle, si le consultant est une femme ou le valet de trèfle s'il s'agit d'un homme). Si ce n'est pas le cas, recommencez le jeu depuis le début. Vous ne pouvez refaire le jeu que trois fois de suite. Si la personne en question n'apparaît pas au bout des trois tours, reportez la séance de cartomancie à un autre jour. En effet, cela signifie que le destin ne veut pas être interrogé. Si, par contre, la carte qui symbolise le consultant apparaît, procédez de la façon suivante:
comptez jusqu'à cinq en partant de la carte-clef qui vous sert de référence. Faites un peu sortir de la rangée cette cinquième carte qui suit la figure "symbole": en prenant maintenant cette carte comme référence, comptez jusqu'à cinq et faites sortir de la rangée cette deuxième carte mise

Méthode n° 4, les cartes sont étalées
sur la table de façon à former
une colonne

en évidence. En suivant toujours la même méthode, c'est-à-dire en partant de cette carte, comptez jusqu'à cinq: mettez en évidence la cinquième carte choisie. Procédez ainsi, en comptant de cinq en cinq (si la rangée se termine, recommencez du début jusqu'à ce que vous arriviez à la carte-clef, celle qui symbolise le consultant). La carte concernée (qui sera toujours la cinquième après celle qui a été précédemment mise en évidence) sera toujours un peu déplacée en dehors de la rangée pour faciliter l'interprétation. Procédez maintenant à une première lecture des cartes signalées, en tenant compte du fait:

1. Que ces cartes se réfèrent personnellement et strictement au consultant (bonnes ou mauvaises).
2. Que ces cartes analysent la "situation présente" et ne prédisent pas l'avenir.

Recomposez le jeu (y compris les cartes déjà lues), mélangez-le bien et commencez le second tour.

Second tour. Après avoir mélangé le jeu et l'avoir fait couper de la main gauche par le consultant, faites-lui choisir quatre cartes que vous disposerez sur la table en les couvrant.

En partant de la première carte du jeu recomposé, distribuez les cartes — une pour chaque paquet, en commençant par le premier — jusqu'à ce qu'elles soient épuisées. Si un ou deux paquets sont plus fournis, laissez-les ainsi. Cela signifie que le destin veut fournir des réponses plus détaillées à propos d'un sujet plutôt que d'un autre. En effet, chaque paquet de cartes se réfère à un sujet précis.

Le 1er paquet est POUR TOI
Le 2e paquet est CONTRE TOI
Le 3e paquet est TOI DANS LE MONDE
Le 4e paquet est LA SURPRISE

Pour toi: dans ce premier paquet, on trouvera les cartes qui prédisent tout ce qui est favorable ou pas dans le domaine du cœur, c'est-à-dire les amours, les sentiments, les probabilités de succès ou d'échecs, les prétendants, les illusions et les désillusions, les espoirs qui se concrétisent.

Contre toi: dans ce deuxième paquet, ou trouvera les cartes qui révèlent ce contre quoi on doit se garder, ce qui est faux, dans le monde du travail, de l'amitié et de la famille. Elles donnent également leur verdict en ce qui concerne la santé, les procès, les litiges judiciaires, etc. La prédiction peut également être très favorable en mettant en évidence le fait que le consultant n'a pas d'ennemis et jouit d'une bonne santé.

Toi dans le monde: ce paquet concerne les événements externes à la maison: travail, affaires, rencontres plus ou moins fructueuses pour la carrière, fêtes, réceptions, vie sociale.

La surprise: dans ce paquet, tous les secteurs de la vie humaine se mélangent et se confondent. La surprise correspond à ce qu'on ne peut prévoir. C'est vous qui devrez prédire avec bon sens les événements imprévus, heureux ou malheureux qui peuvent concerner aussi bien le monde du cœur, que celui des affaires ou de la santé. C'est le paquet dont la lecture divinatoire est la plus difficile, car il regroupe, pêle-mêle, les événements non prévus par le consultant, mais que le destin a placés sur son chemin.

Conclusion générale. Une fois que vous aurez terminé la lecture interprétative du deuxième tour (à la rigueur, en vous aidant par des notes, au moins, les premières fois), tirez une conclusion générale, en vous arrêtant sur les points les plus importants pour le consultant. A ce moment, vous déciderez s'il est nécessaire d'exécuter le jeu du "oui ou du non" pour approfondir un sujet.

Méthode n° 5 appelée aussi "méthode de Mademoiselle Dubigny"

Mélangez soigneusement un jeu de 32 cartes (un jeu normal duquel on ôtera les 1, 2, 3, 4, 5 et les six). Faites-le couper de la main du cœur par le consultant et coupez-le vous-même trois fois de suite. Distribuez sur la table 21 cartes couvertes (en commençant par le haut du paquet) et formez trois rangées de sept cartes chacune. Après avoir disposé la première rangée, recouvrez-la par la seconde rangée et disposez la troisième rangée sous la première. La première rangée étalée sur la table sera donc la rangée centrale.

Premier tour. Vous procéderez en commençant par la rangée centrale de sept cartes: retournez la troisième carte à partir de la gauche et lisez ce qu'elle présage. Retournez ensuite la carte qui précède celle que vous venez d'interpréter (c'est-à-dire la seconde à partir de la gauche) et faites votre prédiction. Retournez maintenant la première carte à gauche de la rangée, en procédant à l'envers.
Lisez sa signification; puis, avant de poursuivre, établissez un lien entre les trois cartes retournées. Arrivé à ce point, concentrez-vous sur la première carte découverte centrale (c'est-à-dire la troisième à partir de la gauche), procédez vers la droite et retournez la troisième carte que vous rencontrerez. Interprétez-la, puis, en allant à reculons de la droite vers la gauche, retournez, une après l'autre, les deux cartes qui la précèdent. Exprimez ensuite ce que

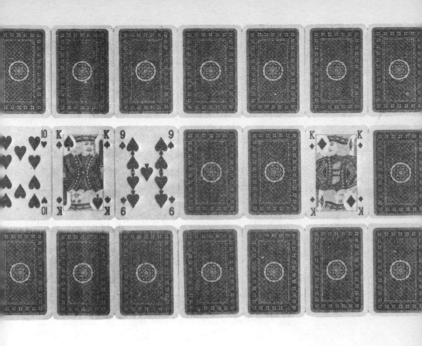

Méthode n° 5 ou méthode de "Mademoiselle Dubigny", jeu entamé: on commence à découvrir les cartes du IIᵉ groupe

présage ce groupe de trois cartes. Maintenant, vous verrez qu'il reste une dernière carte couverte dans la rangée centrale. En partant de cette carte, comptez les cartes de trois en trois dans la rangée inférieure, en allant de la droite vers la gauche. Il vous restera deux cartes couvertes. En partant de ces cartes, continuez votre compte dans la rangée supérieure (la rangée au-dessus de la rangée centrale) en procédant cette fois-ci de gauche à droite. Lorsque vous aurez terminé la lecture des cartes retournées dans la rangée inférieure, reprenez votre compte (de gauche à droite), en prenant cette fois-ci les cartes de la rangée supérieure que vous n'avez pas encore retournées et interprétées. Il restera alors deux cartes à la fin de la rangée: retournez la dernière puis l'avant-dernière. Faites votre prédiction.

Second tour. Vous avez maintenant devant vous une figure géométrique — composée de cartes découvertes — formée de trois rangées horizontales de sept cartes chacune ou bien — vue verticalement — une figure formée de sept rangées de trois cartes chacune. Considérez la figure dans son ensemble, du point de vue vertical. Prenez maintenant en considération la quatrième rangée en partant de la gauche, c'est-à-dire la rangée centrale. Il vous restera de part et d'autre trois rangées de trois cartes chacune. Procédez à la lecture divinatoire de cette rangée centrale, en commençant par la première carte à partir du haut en continuant jusqu'à la troisième.

Cette prédiction résume la situation présente du consultant. Puis, en procédant toujours dans le sens vertical, retournez les trois premières rangées de trois cartes (neuf cartes en tout) et interprétez-les. La prédiction se réfère à "ce qui est déjà arrivé". En passant maintenant à la partie droite du jeu, retournez les trois dernières rangées de cartes que vous lirez du haut vers le bas en partant de la première rangée à gauche. La lecture divinatoire se rapporte à "ce qui doit arriver".

Jusqu'à présent, nous avons donc effectué une première lecture détaillée par groupe de trois cartes; puis, procédant à reculons, nous avons obtenu une vision d'ensemble de la situation divinatoire (en observant quelles sont les figures, les as et les groupes de cartes fastes ou néfastes); le second tour, c'est-à-dire la lecture "verticale", vous a permis d'approfondir les divers domaines d'enquête. Les cartes vues sous cette perspective forment des couples différents et par conséquent ont des significations différentes ou complémentaires qui vous permettent d'établir une prédiction plus ample et plus complète comprenant donc le présent, le passé proche et le futur. L'avenir — vu sous un angle philosophique — plonge ses racines dans le passé et ses prémices dans le présent.

Mademoiselle Dubigny, qui était une femme de lettres érudite et douée d'un grand talent, était passionnée par l'art divinatoire et en particulier par ce jeu car, selon elle, il lui offrait un panorama entier de son destin en lui permettant d'éviter de commettre des erreurs déjà commises dans le passé.

Méthode n° 6 ou méthode "des Lautari"

Mélangez onze fois de suite un jeu de 32 cartes; faites-le couper de la main gauche, puis mélangez-le encore sept fois de suite; faites-le couper à nouveau et mélangez-le encore trois fois. Commencez votre jeu.

Premier tour. Distribuez 21 cartes couvertes sur la table, en les disposant en cercle et en commençant par la carte

carte centrale

carte "tige" ajoutée

Méthode n° 6 ou méthode "des Lautari"

centrale en haut; parmi les cartes qui vous restent, faites-en choisir une au consultant et éparpillez le reste sur la table; ajoutez cette carte à la partie inférieure de votre cercle, de façon qu'elle saille comme une tige. Lorsque vous disposez les cartes en cercle, ayez soin de les placer de la gauche vers la droite, dans le sens contraire des aiguilles d'une montre. Vous obtiendrez ainsi un cercle ouvert en bas (une sorte de couronne) formé de dix cartes de part et d'autre, quel que soit le sens dans lequel on lit les cartes, la onzième carte étant placée en haut, au milieu. Retournez la carte ajoutée (la 22e, celle qui a été placée comme une tige); cette carte exprime l'événement saillant le plus immédiat. Retournez maintenant la carte centrale, en haut de la couronne: vous aurez alors deux demi-cercles de dix cartes chacun. La carte centrale représente la clef selon laquelle se déroulera l'avenir. Tout en tenant compte de la signification de cette carte centrale qui clarifie et complète celle de la carte formant la "tige", retournez une carte de part et d'autre de la couronne, comme si vous l'effeuilliez. La lecture divinatoire se fera donc en considérant deux cartes à la fois. Continuez ainsi, jusqu'à ce que vous ayez épuisé toutes les cartes. En tenant compte du verdict rendu par les deux cartes-clef (la carte centrale en haut et la carte ajoutée en bas), vous pourrez donner une réponse bien structurée et satisfaisante.

Deuxième tour. Après avoir ôté la carte extraite à la fin par le consultant et ajoutée comme tige à la couronne, mélangez le jeu trois fois de suite, faites-le couper de la main gauche par le consultant et remélangez le tout cinq fois de suite.

Distribuez les cartes, couvertes, sur la table en formant trois paquets de sept cartes chacun.

Le 1er paquet est CELUI QUI M'AIME
Le 2e paquet est CELUI QUI ME HAIT
Le 3e paquet est CE QUE JE DOIS FAIRE

En vous souvenant du thème de chaque paquet, demandez au consultant quel est le sujet qu'il désire approfondir en premier: commencez votre prédiction par ce paquet et procédez de la même manière pour les deux autres paquets.

On raconte que durant les longues nuits moldaves, lorsque la lune est pleine, les Lautari, des musiciens nomades, interrogeaient le destin grâce à ce jeu, à minuit pile.

Méthode n° 7 ou jeu des gitans espagnols

Ce jeu, d'origine très ancienne et transmis de génération en génération ne commence pas, contrairement aux autres, par un premier tour pendant lequel les cartes retournées les unes après les autres révèlent les trames de l'avenir qui seront ensuite tissées pour former la grande mosaïque du tableau divinatoire général. Dans le jeu gitan, on commence carrément par le "second tour", ainsi qu'il est indiqué dans les autres méthodes.

Comment procède-t-on. Après avoir mélangé treize fois de suite un jeu dont on aura éliminé les quatre 10 (on aura donc 48 cartes), on le fera couper de la main gauche par le consultant, c'est-à-dire de la "main du cœur". On divisera ensuite le jeu en six paquets formés d'un nombre inégal de cartes, en procédant au hasard. On mettra les cartes sur la table en commençant par la droite et on disposera les paquets de la droite vers la gauche, dans le sens des aiguilles d'une montre.

Chaque paquet se réfère à un argument précis.

Le 1er paquet est LA MAISON
Le 2e paquet est UNE TROISIÈME PERSONNE
Le 3e paquet est CHOSES ET PERSONNES ÉTRANGÈRES
Le 4e paquet est L'IMPRÉVU
Le 5e paquet est LA CONSOLATION (POUR ADOUCIR ÉVEN-
TUELLEMENT LES MAUVAIS PRÉSAGES DES
AUTRES PAQUETS)
Le 6e paquet est L'ÉCLAIRCISSEMENT

On ne consultera ce dernier paquet que si on désire éclair-
cir une lecture énigmatique dans d'autres paquets. En
commençant par la droite, retournez les cartes, et disposez-les en une colonne, en vous rappelant que si elles se
réfèrent à la maison, à la famille, vous devrez donner
votre réponse divinatoire; passez ensuite au deuxième
paquet (toujours à partir de la droite). Ce groupe de cartes (dont le nombre peut varier, ainsi que je l'ai déjà dit)
se rapporte "à une troisième personne", c'est-à-dire à la
personne pour laquelle le consultant éprouve des pen-
chants amoureux. Retournez les cartes et faites votre prédiction, en vous souvenant du sujet auquel se réfère ce
paquet. Retournez maintenant les cartes formant le 3^e
paquet: "choses et personnes étrangères", qui a trait aux
contacts de travail, aux fêtes, au monde extérieur. Procédez à la lecture divinatoire.
Le 4e paquet indique "l'imprévu": joies, surprises, passion,
maladies, amour, mort. Interprétez les cartes après les
avoir lues.
Le 5e paquet indique "la consolation": dans ce paquet, on
pourra trouver les cartes qui apaisent et consolent, si par
hasard les autres paquets révèlent de mauvaises prévisions.
Le 6e paquet sera utilisé uniquement si le consultant
désire quelques informations plus spécifiques concernant

un paquet de cartes déjà lues. Pour lire ces cartes, vous les disposerez sur cinq lignes horizontales dont le nombre de cartes sera inégal. La première rangée aura une carte de plus que la seconde, la seconde une carte de plus que la troisième, la troisième une carte de plus que la quatrième et la quatrième une carte de plus que la cinquième. Lisez la rangée de cartes se référant au paquet au sujet duquel on désire connaître plus de détails (la première rangée correspond au premier paquet, et ainsi de suite), en procédant toujours de droite à gauche.

Bien que ce jeu ne comporte qu'un seul tour, il offre une lecture divinatoire qui touche tous les domaines de la vie humaine, de façon très satisfaisante. Et ainsi que nous l'avons déjà dit, c'est le jeu favori du peuple nomade des gitans.

Méthode n° 8 appelée aussi méthode "de la bonne espérance"

Là encore, nous avons affaire à un jeu qui, contrairement aux précédents, commence par les paquets de cartes, c'est-à-dire par le second tour. Il offre, dans une première partie, une lecture détaillée particulière de divers sujets et dans une deuxième partie, une lecture panoramique qui met en évidence les événements les plus marquants qui devront se produire, indépendamment des sujets. La seconde lecture est donc un résumé des principaux faits de l'avenir.

On raconte que durant les longues nuits d'hiver, les "jeunes filles à marier" des pays nordiques avaient recours à ce jeu pour tout savoir quant à leur avenir et... surtout quant à leurs amours.

Prenez un jeu de cartes complet, c'est-à-dire un jeu de 52 cartes. Après l'avoir fait couper par le consultant, mélangez-le avec attention et concentration treize fois de suite. En commençant par le haut du paquet, prenez 42 cartes que vous mettrez sur la table en formant trois paquets ayant à peu près la même épaisseur (le nombre de cartes formant chaque paquet pourra varier selon la façon dont elles auront été disposées).

Rappelez-vous que le paquet central se réfère "au monde de l'amour", le paquet de gauche aux "faits du cœur", celui de droite aux "espoirs et aux désillusions".

Avant de commencer la lecture divinatoire, demandez au consultant quel est le paquet qui l'intéresse au premier chef. Vous commencerez par ce paquet qui est généralement le paquet central. Ce paquet prédit les faits concrets de l'amour: prétendants, mariages, ruptures, séparations, reprises. Le paquet de gauche qui se rapporte aux "faits du cœur" s'intéresse plus spécifiquement aux amours non partagés, aux sentiments familiaux et à l'amitié. Le paquet de droite "espoirs et désillusions" indique si les espoirs du consultant seront exaucés ou s'il subira des désillusions aussi bien dans le domaine de l'amour que dans celui du travail, de l'argent ou de la santé. Ce paquet approfondit une sphère plus complexe, même si son verdict bref énonce des faits concrets. Tirez les cartes (à l'envers) du paquet indiqué en premier lieu et disposez-les en colonne (le nombre de cartes varie). Procédez à la lecture divinatoire selon les symboles des cartes en essayant de donner un sens révolu à votre discours. Retournez ensuite les cartes du second paquet indiqué en disposant toujours les cartes en colonne. Formulez votre verdict, après avoir bien étudié les cartes. Procédez ensuite à la lecture du dernier paquet.

Regroupez ensuite les cartes des trois paquets en commençant par celui de droite, mélangez-les bien; faites couper le jeu de 42 cartes de la main gauche par le consultant.

Maintenant, disposez les 35 premières cartes du jeu sur la table (recouvertes) en formant cinq rangées de sept cartes. En commençant par le haut à gauche, comptez jusqu'à cinq, retournez la cinquième carte et procédez à la lecture. En partant de cette carte déjà retournée et interprétée, retournez la cinquième carte suivante et lisez-la. Continuez ainsi en comptant les cartes de cinq en cinq, jusqu'à ce que vous ayez épuisé toutes les cartes disposées à l'envers sur la table. Vous aurez retourné en tout sept cartes. Dans cette lecture où se mélangent les événements futurs qui concernent l'amour, l'argent, la santé, les présages bons ou funestes, vous devrez discerner avec maîtrise et compétence le sujet auquel se réfère la carte découverte.

Méthode n° 9 (ancien jeu des Marques)

Cette façon de prédire l'avenir avec les cartes était utilisée autrefois par les cartomanciens des Marques. Ce jeu d'origine populaire avait lieu le soir du premier vendredi du mois. Ce soir-là, la cartomancienne se trouvait face à une véritable file de candidats, venus pour la consulter au sujet de leur avenir. Mais étant donné que la tradition voulait que seules trois personnes puissent la consulter, les trois "consultants" étaient tirés au sort. Les autres devaient revenir le 1er vendredi du mois suivant.

Premier tour. On mélange sept fois le jeu de 32 cartes, puis on le fait couper par le consultant. On le mélange encore trois fois et on l'éparpille sur la table en mettant les cartes à l'envers. Le consultant devra fermer les yeux et tirer 15 cartes, trois fois de suite, plus une carte pour "la surprise".

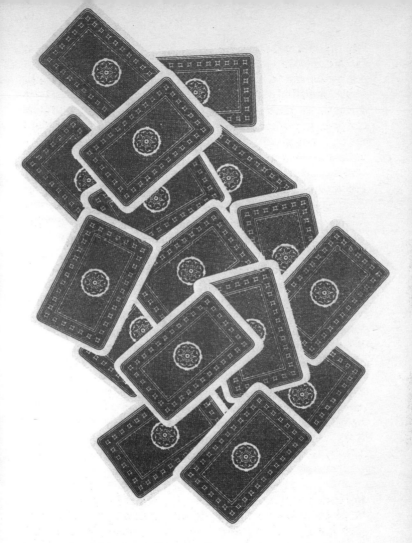

Méthode nᵒ 9 (ancien jeu des Marques); disposition des cartes et début
du jeu

Peu importe si le nombre de cartes extrait du jeu éparpillé sur la table est toujours égal. Par exemple: le consultant pourra extraire cinq cartes à la fois (qui feront quinze au total), mais il pourra également — à sa guise — tirer trois cartes la première fois, puis sept, puis cinq; ou bien six cartes la première fois. L'important est que la somme des cartes tirées fasse quinze. La cartomancienne les disposera selon l'ordre d'extraction en formant trois rangées de cinq cartes chacune. Avant de procéder à la lecture divinatoire, elle fera tirer une carte (qu'elle mettra de côté en la couvrant) par le consultant. Cette carte représente "la surprise" qui sera découverte à la fin du jeu pour clarifier une question à laquelle il désire avoir une confirmation.

Maintenant, pour commencer la lecture interprétative des cartes, on découvre la dernière carte à droite de la dernière rangée; on en donne la signification et on retourne la première carte à gauche de la première rangée et on l'interprète. On retourne alors l'avant-dernière carte de la dernière rangée et on la lit, puis la seconde carte à partir de la gauche de la première rangée et ainsi de suite jusqu'à ce qu'on ait retourné toutes les cartes et qu'on les ait interprétées les unes après les autres. A ce stade, on regarde si le tableau général présente des groupes de cartes ayant une signification particulière pour toute la prédiction, s'il y a des événements funestes en vue, ou bien si malgré quelques difficultés apparaissent des cartes qui indiquent le succès ou au moins la possibilité de les surmonter puis, après avoir demandé au consultant à propos de quel événement apparu dans le tableau divinatoire il désire recevoir une confirmation, on retourne la carte de "la surprise"; on lira cette carte qui rendra un verdict négatif ou positif à propos de la question soulevée.

Deuxième tour. Après avoir mélangé les cartes, faites-les

couper par le consultant. Disposez trois paquets de cinq cartes chacun: "soi", "pour moi", "contre moi". Le premier paquet "soi" indique les événements imprévisibles qui concernent la santé, les affaires, l'argent, etc.; le second paquet "pour moi" désigne celui qui est aimé du consultant et se réfère à l'amour et aux sentiments, le troisième paquet "contre moi" mettra en évidence les inimitiés, les envieux, les brouilleries. Vous lirez les cartes de chaque paquet en tenant compte du sujet auquel elles se réfèrent. La séquence de lecture des divers paquets peut être changée: le premier paquet peut être lu en dernier ou vice-versa, selon les préférences du consultant.

Méthode n° 10 ou jeu "de la bonne prédiction"

Ce jeu appartient lui aussi à la tradition populaire italienne; il paraît que les jours les plus indiqués pour prédire l'avenir selon cette méthode sont le mardi, le mercredi, le vendredi, c'est-à-dire les jours en "r".
On mélange un jeu de 32 cartes et on le fait couper de la main gauche par le consultant. En commençant par le dessus du jeu, on dispose six cartes sur la table, à l'envers et de façon à former une rangée horizontale. Les cartes seront disposées de la gauche vers la droite. Au-dessus de cette première rangée on placera une seconde rangée de six cartes et enfin une troisième. C'est à ce moment que commence la prédiction: on retourne la dernière carte à droite et on la lit. On pose cette carte sur la table, en haut à gauche, au-dessus de la rangée de cartes à interpréter. Puis, on retourne l'avant-dernière carte: on l'interprète et on la place à droite de la première carte lue. On rend ensuite son verdict sur la troisième carte retournée que l'on place toujours à la droite des deux premières cartes

lues précédemment. On agit de la même façon pour les autres cartes de la rangée, en les disposant, au fur et à mesure qu'elles sortent, à côté des cartes déjà lues et formant une rangée à part. On procède maintenant à la lecture de la seconde rangée en allant cette fois-ci de gauche à droite. Après avoir lu chaque carte de cette rangée, on les dispose au fur et à mesure sous la première rangée de cartes déjà lues. Lorsqu'on a fini l'interprétation de cette seconde rangée, on passe à la lecture divinatoire de la troisième et dernière rangée, en interprétant d'abord la dernière carte à droite que l'on aura retournée. On passera ensuite à l'avant-dernière carte, puis à la suivante et ainsi de suite, jusqu'à ce qu'on ait épuisé toute la rangée. Ces cartes formeront la troisième rangée de cartes mises de côté après leur interprétation. On obtiendra ainsi un tableau de lecture complet avec six cartes d'un côté et trois de l'autre: dix-huit cartes en tout. La cartomancienne tirera dans ce groupe la troisième carte à partir de la gauche et la mettra de côté, puis la troisième carte après cette dernière, puis la troisième encore et ainsi de suite jusqu'à épuisement des cartes. Ces huit cartes extraites seront disposées (dans leur ordre de sortie) l'une sous l'autre, en colonne. Elle lira à nouveau ces cartes en liant la signification de l'une à celle de l'autre, de façon à faire une prévision générale.

Chaque carte ressemble dans un certain sens à une parole qui, unie à une autre, forme un discours. En effet, ces huit cartes représentent l'événement ou les événements les plus marquants du futur du consultant.

Etant donné que dans ce jeu, le second tour est déjà inclus et n'est donc pas exécuté, la séance de cartomancie finit par la "pensée du oui ou du non" que nous avons déjà évoquée dans un chapitre précédent; vous y trouverez toutes les explications nécessaires pour l'exécuter, selon des méthodes différentes.

Les "Grands Jeux"
ou "Jeux Royaux"

En vérité, le Grand Jeu devrait se rapporter à la prédiction que l'on obtient grâce au *Grand Livre de Thot* qui suit la tradition de l'Egypte antique des pharaons.

Mais en faisant une exception, nous pouvons appeler "Grand Jeu" ou "Jeu Royal" une prédiction particulière, plutôt élaborée et complexe qui s'effectue selon des règles précises, en principe avec un jeu de 52 cartes. Naturellement, étant donné que l'interprétation est dans ce cas plus vaste et plus approfondie, l'exécution du jeu sera proportionnellement plus difficile.

C'est la raison pour laquelle j'ai choisi de vous exposer, en guise "de grand final" trois de ces jeux qui demandent beaucoup d'attention et de maîtrise et ne peuvent être exécutés que si on connaît bien les méthodes les plus simples et les plus courantes.

Le "Grand Jeu" de Catherine de Russie

Il paraît que Catherine de Russie, cette souveraine cultivée et intelligente, amie des philosophes au siècle de Lumière, avait une préférence pour ce "Grand Jeu" de facture élaborée et raffinée, pour interroger le destin au sujet de ses amours aussi nombreux qu'éphémères. Voici une version modernisée et légèrement abrégée de ce jeu que nous avons rendu plus accessible du point de vue pratique en le réduisant à 32 cartes au lieu de 52. Il faudra faire attention à ne pas faire d'erreurs durant les diverses étapes sinon la prédiction s'en trouverait faussée.

Premier tour. Prenez un jeu de 32 cartes. Mélangez-le *neuf fois* de suite. Faites-le couper de la main gauche par le consultant; mettez sur la table trois cartes découvertes à la fois (en commençant par le haut du paquet). Si vous avez deux cartes de la même couleur, prenez celle qui a le plus de valeur; si vous avez trois cartes de la même couleur, prenez-les toutes les trois. Si vous avez trois cartes de la même valeur, prenez-les toutes les trois et si vous découvrez trois cartes de couleur différente, n'en prenez aucune; si les trois cartes n'ont ni la même couleur, ni la même valeur, écartez-les. A la fin, après avoir retourné les cartes — trois par trois — il vous restera deux cartes: prenez celle qui a le plus de valeur, à moins qu'elles aient la même valeur ou la même couleur, alors dans ce cas prenez-les toutes les deux. Durant ce triage, distribuez les cartes choisies sur la table, en "éventail", en procédant de la gauche vers la droite. Les cartes devront être découvertes.

Deuxième tour. Prenez les cartes mises de côté, réunissez-les en un paquet, mélangez le jeu *huit fois* de suite. Faites couper le jeu de la main gauche par le consultant. Répétez l'opération précédente et retournez trois cartes à la fois en suivant les mêmes règles que précédemment; allongez l'éventail (vers la droite) en ajoutant les cartes que vous avez retenues. Si à la fin il ne vous reste qu'une carte, mettez-la de côté.

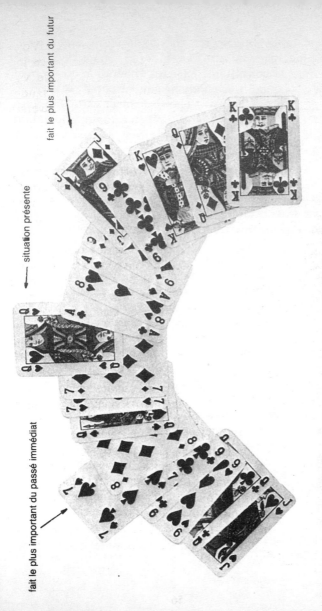

fait le plus important du futur

situation présente

fait le plus important du passé immédiat

L'éventail de cartes dans le "Grand Jeu" de Catherine de Russie
(observez les cinquièmes cartes qui sortent du jeu)

Troisième tour. Prenez les cartes non utilisées et formez un jeu; mélangez-le *sept fois*, faites-le couper de la main gauche par le consultant. Répétez l'opération du premier tour et du second tour en allongeant l'éventail. A la fin de ce tour, vous devrez avoir choisi dix-neuf cartes. Si vous en avez moins, vous pouvez répéter toute l'opération depuis le début, mais pas plus de trois fois. Si les cartes nécessaires ne sortent pas au bout de trois fois, cela signifie que le destin ne veut momentanément pas être interrogé et on reportera donc la séance à un autre jour.

Si vous avez dix-huit cartes au lieu de dix-neuf, vous ferez tirer par le consultant une carte (couverte) parmi celles que vous avez écartées. Vous ajouterez cette carte à l'éventail.

Si les cartes à interpréter sont au nombre de dix-sept (même après avoir répété trois fois de suite le jeu), vous devrez estimer, après les avoir observées et lues mentalement, si vous allez ou pas faire la prédiction.

Dans ce cas, vous devrez aviser le consultant qu'elle sera imprécise.

L'interprétation débute par une lecture générale de l'éventail des cartes. Faites ressortir la cinquième carte de deux centimètres par rapport aux autres, de façon à la mettre en évidence, puis la cinquième qui suit et la cinquième encore. La carte mise en évidence se trouvant au centre indique la situation présente du consultant: la carte mise en évidence à gauche représente le fait le plus important de son passé immédiat, tandis que la dernière à droite désigne le fait le plus marquant d'un futur proche. La signification de ces trois cartes — que vous interpréterez tout de suite mentalement — ne devra pas encore être communiquée au consultant, car leur signification sera donnée par la suite, au cours de la lecture générale. Souvenez-vous que c'est la carte centrale qui est la plus im-

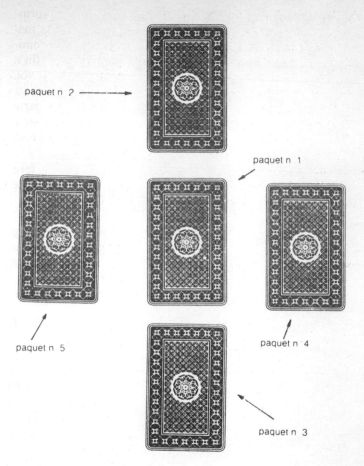

paquet n 2 ⟶

paquet n 1

paquet n 5

paquet n 4

paquet n 3

Le "Grand Jeu" de Catherine de Russie

portante, car c'est la clef de lecture de tout l'éventail. Si cette carte est une dame et si le consultant est une femme, cela signifie que le sujet qui interroge a été immédiatement focalisé. Si le consultant est une femme et si la carte centrale est un homme, il faudra étudier la première figure voisine, car cela signifie que le consultant vit une situation d'attente. Si la carte centrale de l'éventail n'est pas une figure, cela signifie que le consultant subit une situation passive dans laquelle il lui est défendu d'être le protagoniste.

Si dans le premier secteur, c'est-à-dire celui du passé immédiat, apparaissent un as rouge et un as noir, ainsi que dans le troisième secteur, celui des événements futurs, cela signifie qu'un *grand changement* est à prévoir.

Maintenant, procédez à la lecture de l'éventail, en prenant une carte après l'autre et en faisant attention de diviser mentalement l'éventail en trois parties, déterminées par les trois cartes qui saillent hors du jeu: le premier secteur à gauche — dont la carte saillante représente l'événement le plus marquant — se réfère au passé immédiat; le secteur central — dont la carte saillante symbolise l'état d'âme présent du consultant — se rapporte à la situation du moment; le troisième secteur — dont la carte saillante symbolise l'événement capital du futur — concerne les faits qui devront se produire.

La lecture interprétative devra s'effectuer de gauche à droite. Après avoir réuni les dix-neuf cartes en formant un jeu, mélangez-le sept fois de suite; faites-le couper par le consultant et redistribuez-le en formant cinq paquets disposés en forme de croix grecque: le paquet n° 1 ou paquet central se réfère au "monde du cœur", le paquet n° 2 placé au-dessus du n° 1 se rapporte au "monde de la maison"; le paquet n° 3 placé en dessous du n° 1 concerne le "monde des affaires et de l'argent". Le paquet n° 4 placé à la droite du n° 1 correspond au "monde des relations humaines" et enfin le paquet n° 5 placé à la gauche du paquet n° 1 touche le "monde de l'amitié".

Les cinq paquets seront consultés et interprétés dans l'ordre chronologique, en découvrant les cartes et en les analysant les unes après les autres. Le verdict sera rendu en étudiant chaque carte, seule, puis vue dans son contexte. Si dans un des paquets apparaît un sept, cela signifie qu'il doit être consulté comme il se trouve. Le sept a la fonction du "stop". Autrement, mais seulement pour deux des cinq paquets, on peut approfondir la prédiction en utilisant les cartes laissées de côté que vous mélangerez. Vous les ferez couper de la main gauche par le consultant qui tirera deux cartes seulement (couvertes) que vous ajouterez aux deux paquets qu'il désire interroger plus à fond. C'est le consultant qui choisira les deux paquets auxquels on peut ajouter une carte.

Les deux cartes seront ajoutées "a priori" aux deux paquets, c'est-à-dire avant de procéder à la lecture divinatoire.

Le Grand Jeu de France

Ce "Grand Jeu" d'origine française est assez complexe et requiert, tout comme le précédent, beaucoup d'attention; tant que vous ne l'aurez pas appris par cœur, il est conseillé de suivre les indications du livre, étape par étape, pour ne pas vous tromper dans la procédure.

Avant de mettre en pratique ces trois "Grands Jeux" que je vous propose, je vous suggère une très bonne tactique; exercez-vous plusieurs fois à faire aussi bien la "pensée du oui ou du non" que vous pourrez toujours utiliser comme final d'une séance, que les jeux divinatoires de facture plus simple, exposés dans le chapitre précédent.

Premier tour. On commence en mélangeant treize fois de suite un jeu complet de 52 cartes. Faites-le couper de la main gauche par le consultant. En partant du haut du jeu, tirez 42 cartes l'une après l'autre et disposez-les de droite à gauche sur la table, de façon à former 6 paquets. Après avoir disposé 6 cartes en une rangée horizontale en allant de la droite vers la gauche, recouvrez-les au fur et à mesure avec les autres cartes, en allant toujours dans le sens contraire des aiguilles d'une montre. Vous obtiendrez ainsi six paquets de sept cartes.

Prenez maintenant le paquet n° 1 (le dernier à droite) et étalez les sept cartes qui le composent, à part, sur la table, toujours de droite à gauche. Prenez ensuite le second paquet et étalez les sept cartes qui le composent sur les sept cartes du premier paquet (de droite à gauche). Procédez ainsi pour le troisième paquet, le quatrième, le cinquième et le sixième. A la place des six paquets de sept cartes du début, vous aurez ainsi sept *nouveaux* paquets de six cartes. En allant de droite à gauche, prenez la première carte supérieure des sept paquets. Mélangez les sept cartes. Faites-les couper de la main gauche par le consultant. Retournez-les et formez une rangée sur la table (toujours en allant de la droite vers la gauche). Recommencez l'opération; prenez la seconde carte des sept paquets; mélangez les sept cartes et faites-les couper; étalez les cartes de façon à former une seconde rangée au-dessus de la première. Les cartes doivent être découvertes. Continuez encore; prenez la troisième carte des paquets; mélangez les sept cartes obtenues et faites-les couper; formez une troisième rangée de cartes découvertes que vous placerez au-dessus des deux rangées précédentes. Répétez le même processus avec la quatrième carte et puis avec la cinquième carte en formant une quatrième et une cinquième rangée (au-dessus des autres).

Enfin, prenez la dernière carte des sept paquets. Ces sept cartes, mélangées et coupées formeront (disposées de droite à gauche) la dernière rangée que vous placerez au-dessus des cinq autres. Vous aurez ainsi obtenu un quadrant de lecture divinatoire, formé de sept cartes horizontales et de six cartes verticales, c'est-à-dire de six rangées de sept cartes. Observez bien l'ensemble des cartes et cherchez celle qui doit représenter le consultant. Si le consultant est une femme, ce sera la dame de cœur, si c'est un homme ce sera le valet de cœur. Si vous la trouvez, vous l'ôtez du quadrant et vous la posez au-dessus du jeu; parmi les cartes qui vous restent, vous en ferez choisir une par le consultant et vous la mettrez à la place de celle que vous venez d'ôter; si la carte du consultant n'est pas dans le quadrant, mélangez les cartes restantes, faites-les couper de la main gauche et faites choisir une carte par le consultant. La carte choisie doit être le valet ou la dame de cœur. Cette opération ne peut être répétée que trois fois. Si la carte en question ne sort pas, il faut refaire tout le jeu. Là aussi, le jeu ne peut être refait que trois fois; si la carte qui représente le consultant (ou la consultante) ne sort jamais, il faudra reporter la séance à une autre fois. Cela signifie que la période vécue par le consultant est fluctuante et pas assez bien définie et que le moment n'est pas propice pour une séance divinatoire.

Si tout va bien, commencez par interpréter les cartes de la première rangée supérieure en allant de droite à gauche, tandis que la rangée suivante sera lue de gauche à droite; la troisième rangée se lira de droite à gauche et la quatrième de gauche à droite; et ainsi de suite tout comme un écheveau que l'on déroule.

Deuxième tour. Mélangez les cartes après avoir ôté du jeu la carte qui symbolise le consultant; faites-les couper de la main gauche. Redistribuez les cartes en formant trois paquets (de droite à gauche) de cartes couvertes.

Le 1er paquet est POUR TOI
Le 2e paquet est POUR LA MAISON
Le 3e paquet est CE QUI DOIT ARRIVER

Retournez les cartes de chaque paquet et interprétez-les en vous rappelant le sujet qu'elles traitent.

Pour toi signifie tout ce qui arrivera personnellement au consultant: amours, maladies, illusions, désillusions, trahisons, joies.

Pour la maison concerne tout ce qui arrive dans la famille; s'il sort une carte qui signifie "mariage", cela ne veut pas dire qu'elle se réfère au consultant.

Ce qui doit arriver sont aussi bien les faits imprévus qui arrivent au consultant que les événements qui touchent des personnes qui lui sont proches.

"La cartomancienne télépathique"

Ce troisième grand jeu de cartomancie est lui aussi de tradition française et a des origines très anciennes. Ce jeu était le favori des dames cultivées qui fréquentaient les salons littéraires au cours de la seconde moitié du XVIIIe siècle. Il s'agit à nouveau d'un "Grand Jeu" exécuté avec 52 cartes, qui requiert de l'attention et du temps, malgré son apparente simplicité. Mais la multiplicité des cartes utilisées suppose une étude longue et approfondie (comme tous les Jeux Royaux), car chaque carte peut fournir une interprétation symbolique qui varie selon sa position et il faut donc être en mesure de la lire dans toutes ses nuances.

Premier tour. Mélangez un jeu de 52 cartes, sept fois de suite. Faites-le couper de la main du cœur par le consultant, retournez-le et mélangez à nouveau les cartes trois fois de suite. Faites couper le jeu, éparpillez les cartes sur la table et demandez au consultant de choisir 35 cartes qu'il vous donnera l'une après l'autre sans cependant les découvrir.

Vous les disposerez sur la table, en ordre et retournées, en procédant de gauche à droite. Formez sept files de cinq cartes avec ces 35 cartes. Après avoir disposé la première rangée de sept cartes, mettez la deuxième rangée au-dessus, la troisième en dessous de la première, la quatrième au-dessus de la seconde et la cinquième en dessous de la troisième, de façon que la première rangée de cartes soit la rangée centrale. Au-dessus de la première rangée vous aurez donc disposé les rangées paires (la seconde et la quatrième); sous la première rangée, vous aurez disposé les rangées impaires (la troisième et la cinquième). Vérifiez si parmi ces cartes apparaît la carte symbolisant le consultant. Cette carte sera le *trois de cœur* si le consultant est une femme; le *trois de carreau*, s'il s'agit d'un homme. Si cette carte ne sort pas, vous aurez la possibilité de recommencer le jeu trois fois encore, mais pas plus; sinon, la prédiction ne serait pas valable. Si la carte du consultant ne sort pas, cela signifie que la période n'est pas bien définie et il faudra donc reporter la séance aux jours suivants, en attendant plus de stabilité.

Si par contre la carte du consultant se trouve parmi les 35 cartes disposées sur la table, cette carte indiquera le début du jeu. Comptez jusqu'à sept à partir de cette carte; ôtez cette septième carte du jeu et mettez-la de côté en la découvrant; puis, en partant de la carte prélevée, comptez encore jusqu'à sept et ôtez la carte du groupe. Procédez ainsi, en comptant de sept en sept et en mettant de côté les cartes désignées, jusqu'à ce que vous soyez retourné à la carte du consultant. Procédez à la lecture des cartes mises de côté. L'interprétation de ces cartes se réfère aux événements du présent et du futur très proche. Par exemple: vous pourrez prédire un mariage, une perte d'argent, une nouvelle qui tarde, etc.; la cartomancienne devra évaluer les événements les plus importants, par ordre de valeur.

Second tour. Laissez les cartes déjà lues de côté; ôtez du jeu la carte qui symbolise le consultant. Remplacez cette carte par une autre que vous ferez choisir parmi celles qui vous restent, en la couvrant; réunissez maintenant toutes les cartes que vous aviez disposées précédemment sur la table et que vous n'avez pas encore interprétées. Mélangez-les trois fois de suite. Faites-les couper de la main du cœur. Distribuez-les ensuite sur la table en formant quatre paquets: le premier paquet est "pour toi" (le consultant); le second est "pour ta maison" (la maison, la famille); le troisième est "le futur" (les événements qui se produiront par la suite); le quatrième est "l'imprévu" (les événements imprévus). Pendant la lecture divinatoire, concentrez-vous sur le sujet auquel se réfère le paquet que vous examinez. Les faits qui concernent directement le consultant se trouvent dans le premier, le troisième et le quatrième paquet; le second paquet concerne les personnes chères ou qui vivent avec le consultant (parents, enfants, etc.).

As et figures

Leur signification particulière

Les as et les figures (valet, dame, roi) revêtent une importance particulière dans le jeu divinatoire. Etant donné que ce sont les cartes qui ont le plus de valeur dans le jeu, elles rassemblent, plus que les autres cartes, les significations particulières des couleurs, qu'elles soient favorables ou funestes. Ainsi, l'as de cœur et les figures de cette couleur, représenteront au plus haut niveau — et en fonction de leur position dans le tableau divinatoire — l'amour et les sentiments les plus importants dans la vie du consultant, les succès et les espoirs. Dans la sphère sentimentale, l'as de cœur est la plus belle carte du jeu. L'as de carreau et les figures de la même couleur se réfèrent au plus haut niveau au monde matériel, au monde de l'argent, des affaires, toujours en relation avec les cartes qui les précèdent ou les suivent. L'as de trèfle et les figures de cette couleur incarnent la sérénité, l'équilibre, la mélancolie résignée.

L'as de pique et les figures de pique sont les cartes négatives du jeu, car elles signifient au plus haut niveau l'adversité, les dépressions, les insuccès, la mort, la prison. Selon certaines écoles de cartomancie, l'as de pique est en vérité une carte neutre qui prend une signification bonne ou mauvaise selon les cartes qui l'entourent. D'une façon générale, toutes les écoles de cartomancie se trouvent d'accord en ce qui concerne certaines propriétés fondamentales communes aux quatre couleurs, mais donnent des significations diverses aux cartes singulières, de même qu'aux as et aux figures. Néanmoins, lorsque nous analyserons chaque carte, l'une après l'autre, dans le chapitre suivant, nous essayerons de vous donner pour chacune d'elles, toutes les lectures divinatoires, anciennes ou plus récentes que nous avons pu trouver, de façon à ne favoriser aucune école. Le lecteur choisira celle qui lui convient le mieux. Vous trouverez également la signification particulière des as et des figures, considérés individuellement. Voyons maintenant la signification particulière des as et des figures en groupe puis séparément.

S'ils sont en groupe

Si parmi les cartes à interpréter apparaissent:

Quatre as: selon l'interprétation la plus répandue, ils signifient le succès et le grand triomphe dans tous les domaines: amour, argent, santé, équilibre; cependant, cela n'est vrai qu'à condition que les as soient espacés les uns des autres car, *quatre as à la suite* annoncent des dangers, des affaires qui se termineront mal, si le consultant est impliqué dans un procès, ils peuvent également signifier la prison.
Néanmoins, il existe une école de cartomancie, selon laquelle la sortie de quatre as espacés est un signe prémonitoire funeste, contrairement a ce qui a été affirmé plus haut; dans ce cas, les cartes indiquent la mort de personnes de la famille ou de connaissances intimes, selon les cartes qui suivent. Si les as sortent *renversés*, il y aura un retard dans la prédiction.

Quatre rois: cela signifie le succès sur toute la ligne, la promotion dans la carrière. Si un ou plusieurs rois sont *renversés*, le succès sera moindre, mais plus proche dans le temps.

Quatre dames: elles signifient: fêtes, réceptions, vie mondaine en vue. Si une ou plusieurs dames sont *renversées*, ces fêtes se dérouleront dans un milieu médiocre. Mais il existe également une version divinatoire plus pessimiste, selon laquelle *quatre dames* signifient des potins et des commérages nuisibles qui provoqueront des scandales publics. D'après une troisième version, l'apparition des quatre dames indique un succès total amplement mérité.

Quatre valets: s'ils sortent à la suite, ils indiquent une vie mondaine et insouciante et une abondance de prétendants (si le consultant est une femme); une vie mondaine et des amitiés superficielles (si le consultant est un homme). Ou bien: ennuis légaux, contraventions.

Trois as: s'ils apparaissent dans le jeu, ils signifient selon une première école de cartomancie, de graves difficultés, des complications tandis que selon une autre version, ils signifient un changement de vie positif.

Trois rois: la plupart des écoles de cartomancie sont unanimes dans ce cas et interprètent l'apparition des trois rois dans le jeu comme un auspice de prospérité financière, de bien-être économique. Ils indiquent également une réunion pour une affaire importante et une grande réussite. Si un ou plusieurs rois sont *renversés*, le succès est remis en question. Une autre interprétation indique par contre des imbroglios, des conspirations, des complications.

Trois dames: signifient des médisances et des potins qui ne donnent rien de bon; en outre, des conflits, de la jalousie de la part de femmes intrigantes. Mais une autre école non moins digne de foi dit: des fêtes et des réunions joyeuses.

Trois valets: signifient des amis ayant des intentions peu sérieuses; désaccords sur le plan juridique; succès modeste.

Trois valets (avec un valet de cœur): trois hommes qui se déclarent en amour (si le consultant est une femme).

Trois valets (sans valet de cœur): nervosité, susceptibilité, querelles en vue.

Deux as (noirs): situation instable, période négative.

Deux as (rouges): forte énergie de la part du consultant.

Deux as (un noir, un rouge): changement en prévision.

Deux as (rouges voisins) et dans un autre secteur du tableau divinatoire, *deux as* (noirs voisins): grand changement.

Deux rois: signifient le projet de deux hommes qui partagent le même patrimoine; s'ils sont *renversés*, le projet s'en va en fumée; ils peuvent également signifier un petit changement.

Deux dames: signifient des amies qui se confient leurs peines de cœur; si une des deux dames est de pique: médisance d'une "amie" qui créera des ennuis.

Deux valets: signifient l'harmonie entre amis, mais aussi: des projets coupables et complices. S'ils sont *renversés*: un danger grave est en vue.

LA SIGNIFICATION PARTICULIÈRE D'UN OU DE PLUSIEURS GROUPES DE CARTES

Chaque carte possède une signification particulière, mais si elle forme un groupe de deux ou plusieurs cartes, elle prend une autre signification, plus complexe, qui peut annuler ou même bouleverser complètement la signification originale.

Nous sommes arrivés maintenant à la partie la plus difficile de la discipline divinatoire; "tirer les cartes" n'est pas un jeu à prendre à la légère; c'est une discipline qui requiert des études, de l'observation, de la concentration et de la pratique. Avant de savoir par cœur les diverses combinaisons qu'offrent les cartes, il faut avoir approfondi avec constance cet art occulte et l'avoir pratiqué avec assiduité.

Pour faciliter l'étude, nous avons, en plus des groupes d'as et de figures, dressé une liste des significations symboliques dérivant des diverses combinaisons, c'est-à-dire des cartes interprétées en groupe. Ainsi, au cours de vos premières expériences, vous pourrez consulter ces pages à chaque fois. Rappelez-vous que la lecture des cartes en groupe — qui devra être faite mentalement avant de procéder à la lecture divinatoire de chaque carte — enrichit et complète la prédiction et vous oriente parfois dans un sens plutôt que dans un autre. Par conséquent, il ne faut absolument pas la négliger.

Nous commencerons par des groupes de deux cartes, dont la signification est plus simple, pour arriver ensuite aux combinaisons de plusieurs cartes à interpréter dans leur ensemble, de façon à faciliter l'apprentissage.

Deux dix: satisfaction imminente, changement de position.

Trois dix: légèreté, conduite réprimandable; *renversés*: succès obtenu par la perfidie.

Quatre dix: grande réussite dans l'entreprise que le consultant est en train de projeter; *renversés*: succès à une échelle plus réduite.

Deux neuf: petite rentrée d'argent tout à fait imprévue.

Trois neuf: santé, bonheur et fortune; *renversés*: perte due à la légèreté.

Quatre neuf: quelque chose d'inattendu.

Deux huit: un peu de chance.

Trois huit: amitié loyale.

Deux sept: bonnes nouvelles en perspective.

Trois sept: appui de personnes influentes.

Le 8 de carreau, le 3 de cœur, le 8 de cœur et le 8 de pique, réunis: ils signifient un petit voyage. *Renversés*: l'arrivée d'un parent ou d'un ami qui vient de loin.

Le 8 de carreau, le 7 de cœur, le 8 de cœur: signifient un projet de mariage avec amour et argent. *Renversés*: plaisirs sensuels.

Le 7 de cœur, le 7 de carreau, le 7 de pique et le 8 de trèfle: conflits et discussions en famille; contestations de la part de personnes subordonnées.

Le 7 de carreau, le 8 de trèfle et le 7 de pique (renversés): sont signes de maladie, de déchéance physique et spirituelle.

L'as de pique, le 10 de pique et le valet de pique (groupés): indiquent la mort, la tristesse; c'est le plus mauvais groupe de cartes du jeu.

Le 10 de pique, le roi de pique, l'as de pique: signifient un procès et la prison.

L'as de trèfle, le 7 de carreau, le 7 de trèfle: présagent la chance dans les affaires, la paix, la sérénité spirituelle.

Le 10 de trèfle, le 9 de carreau, le valet de trèfle: indiquent de l'argent qui arrivera en retard.

Le 10 de trèfle, le 9 de carreau, le 9 de pique: correspondent à l'échec d'une entreprise.

Le 7 de trèfle, le 7 de carreau, le 9 de trèfle: signifient un état d'âme serein dû à la tranquillité financière.

LA CARTE QUI REPRÉSENTE LE CONSULTANT

La carte qui symbolise la personne qui désire connaître son avenir — par l'intermédiaire de la cartomancienne — est la carte pivot autour de laquelle s'effectuera la lecture divinatoire.
Elle doit toujours "sortir" dans le tableau divinatoire; sans

quoi il faut recommencer la séance depuis le début pendant un nombre de fois déterminé. Celui-ci varie d'un jeu à l'autre. Si la carte ne sort en aucun cas, la prédiction doit être absolument reportée à un autre jour et un autre moment, car cela signifie que la situation du consultant est instable et mal définie: il faudra donc attendre qu'elle atteigne plus de stabilité pour être étudiée. Mais, pratiquement, quelle est la carte qui symbolise le consultant? Elle varie selon les écoles et les méthodes, mais en principe, les versions les plus répandues sont les suivantes:

la dame de cœur: si le consultant est une femme;

le valet de cœur: si le consultant est un homme;

ou

la dame de trèfle: si le consultant est une femme;

le valet de trèfle: si le consultant est un homme:

ou également

le 3 de cœur: si le consultant est une femme;

le 3 de carreau: si le consultant est un homme.

Evidemment, si l'on choisit la version "cœur" et que le consultant est une femme, elle sera symbolisée par la *dame de cœur* et pendant la séance divinatoire, l'homme de ses pensées sera le *valet de cœur* et *vice-versa*.

Si l'on choisit le valet de trèfle comme carte symbolisant le consultant (s'il s'agit d'un homme), c'est donc la *dame de trèfle* qui sera la femme aimée.

Ce principe ne s'applique pas dans le cas où on choisit le *3 de cœur* pour symboliser le consultant. Selon la logique, c'est le 3 de carreau qui devrait représenter son partenaire amoureux. Au contraire, ce sera le *roi de cœur*. Si la personne qui vous consulte est un homme — symbolisé par le *3 de carreau* — la femme de son cœur ne sera pas le 3 de cœur mais la *dame de carreau*.

Ceci est une *exception* qui d'autre part confirme la règle.

Si les cartes sont renversées, leur signification change.

Avant de commencer une séance, vous ne devez en aucun cas remettre le jeu en ordre avant de mélanger les cartes. Le jeu doit être pris et utilisé comme il se trouve, avec des cartes droites et d'autres renversées. Ceci, afin que la lecture divinatoire soit véridique. En effet, les cartes possèdent deux significations: une signification lorsqu'elles sont lues à l'endroit et une autre signification lorsqu'elles sont lues à l'envers, parce qu'elles sont sorties dans cette position. Ne commettez pas une erreur d'interprétation en attribuant à une carte renversée la signification "exactement contraire" de celle qu'elle aurait eu à l'endroit. Les choses ne sont pas si simples. Parfois, dans une carte renversée, ce n'est que l'intensité — favorable ou pas — de la lecture de la carte droite qui s'atténue. D'autres fois, elle reporte dans le temps l'événement prédit ou bien donne un déroulement différent — toujours sur le même thème — à la lecture divinatoire. Mais comment fait-on pour savoir, avec un jeu de cartes normal, si une carte est droite ou renversée? Vous aurez remarqué que chaque cartomancienne qui se respecte n'utilise pas un jeu quelconque, mais possède son propre jeu qu'elle conserve jalousement. Vous en ferez de même, après avoir marqué avec une croix les cartes qui ne présentent aucune différence à l'endroit ou à l'envers. En tout cas, vous pourrez observer à partir des illustrations du prochain chapitre consacré à la signification de chaque carte (droites et renversées), quelle est la différence entre une carte droite et une carte renversée (lorsque cela est possible) et observer attentivement (en accomplissant la même opération) quelles sont les cartes que vous devrez marquer, étant donné qu'elles ne présentent aucune différence. En attendant, voici pour chaque couleur, quelles sont les cartes que vous devez marquer avec un petit triangle sur le côté le plus court.

Les cartes à marquer par un petit triangle sont les suivantes:

Pique: le 2, le 4, le 10, le valet, la dame et le roi de pique.

Trèfle: le 2, le 4, le 10, le valet, la dame et le roi de trèfle.

Cœur: le 2, le 4, le 10, le valet, la dame et le roi de cœur.

Carreau: l'as, le 2, le 3, le 4, le 5, le 6, le 8, le 9, le 10, le valet, la dame et le roi de carreau.
Pratiquement, dans cette dernière couleur, toutes les cartes sont à marquer, sauf le 7 de carreau dont on distingue l'endroit de l'envers.

Exemple de cartes marquées d'un petit triangle

DROITE   **RENVERSEE**

Toutes les cartes les unes après les autres

Pour chaque carte plusieurs significations parfois contra-dictoires

En cartomancie, chaque carte a une signification symboli-que, ainsi que nous l'avons déjà dit. Ceci est vrai, mais il faut tout de suite préciser que cette signification symbolique varie selon les doctrines, selon les systèmes. En d'au-tres termes, il existe autant de significations symboliques attribuées au même signe évocateur d'un concept, c'est-à-dire la carte, qu'il existe de tendances différentes en carto-mancie. Cependant, il existe aussi de nombreuses excep-tions en ce qui concerne l'interprétation que l'on peut donner à une couleur ou à un numéro. Contrairement, par exemple, aux idéogrammes chinois qui forment dans leur ensemble un langage et évoquent un concept ou une image commune à tout le peuple chinois ou à qui connaît cette langue.

Evidemment, je n'ai pu recenser la signification symboli-que des cartes de toutes les tendances existant dans le monde en cartomancie; cependant, j'ai pensé qu'il serait utile de fournir des tableaux pour chaque carte (complétés d'une illustration qui permette d'expliquer de façon ima-gée la différence entre une carte droite et une carte ren-versée), proposant les diverses significations possibles. J'ai choisi les significations les plus répandues. Chaque "signification symbolique" porte un numéro; ainsi, si vous choisissez la signification n° 2 pour une carte donnée, vous pourrez suivre cette orientation pour les autres cartes. De même, si vous adoptez l'interprétation n° 4, elle sera le numéro clef pour lire la signification des autres cartes. Ainsi, vous pourrez faire une prévision cohérente.

Une dernière chose: ne vous étonnez pas si, parfois, la même carte a des significations différentes voire même contradictoires, tandis que dans d'autres cas, l'interprétation symbolique coïncide, même si elle appartient à une autre école. Ce sera à vous de choisir.

Les as et les figures sont les cartes les plus importantes du jeu, celles qui donnent la signification générale de la couleur. C'est la raison pour laquelle j'ai justement commencé — en suivant une séquence descendante — par vous donner l'interprétation symbolique des as et des figures, selon cinq versions connues en cartomancie. Etant donné que les cartes, avant même d'être prises en considération séparément, dépendent surtout de la couleur qu'elles portent, j'ai pensé qu'il serait utile de reporter, dans chaque tableau, la signification générale de la couleur en question. Ainsi, ceux qui se préparent à apprendre cette doctrine occulte, seront aidés dans leurs prédictions en ayant toujours à portée de main, le domaine auquel se réfère chaque couleur.

Les cinq versions divinatoires sont exprimées de façon condensée et succincte. C'est à vous d'élargir le discours, tout en restant dans le sujet, pour donner un verdict coordonné.

Cœurs

Les cartes qui portent la couleur des cœurs se réfèrent au monde des sentiments, des amours, des passions, des états d'âme affectifs dans toutes leurs nuances; elles prédisent des amours heureux ou malheureux, des espoirs, des échecs, des succès, des amours frivoles et passagers, des inquiétudes amoureuses. On peut dire que les cartes de la famille des cœurs expriment (en bien ou en mal selon le destin) également l'état émotif présent et futur du consultant.

AS

1. La meilleure carte du jeu: de très bon augure en amour; signifie joie, succès sentimentaux; placé à côté d'autres figures: fêtes et banquets.

2. Cadeau très important.

3. Visite d'une amie ou d'un ami du cœur.

4. Triomphe en amour; passion.

5. Domination et énergie spirituelle du consultant qui a la situation en main; début d'un changement.

Carte renversée: succès, mais avec un retard important.

DROITE

RENVERSEE

81

ROI

1. Un ami d'âge mûr qui vous aime et aspire à vous protéger.

2. Un homme financièrement aisé qui vous accorde sa bienveillance.

3. Un homme remarquable que vous sous-évaluez et auquel vous ne prêtez pas attention.

4. Mariage de grande satisfaction spirituelle et économique (à côté du 4 de cœur).

5. Un personnage masculin très puissant qui tente de vous nuire.

Carte renversée: changement de situation ou voyage.

DROITE

RENVERSEE

DAME

1. Visite d'une amie qui vous est chère.

2. Espoir de tendresse déçu.

3. Une femme sincère et honnête qui vous aime.

4. Une aide inespérée de la part d'une amie.

5. Une femme introduite dans les affaires qui vous donne son appui et son affection.

Carte renversée: possibilité de mariage avec amour et argent.

DROITE

RENVERSEE

83

VALET

1. Un ami qui vous dévoile ses sentiments (si le consultant est une femme); autrement, un ami qui vous est cher.

2. Visite à la maison d'un jeune homme rendu triste par votre conduite.

3. Jeune homme qui vous aime et qui jouera un rôle important dans votre vie.

4. Pour une femme: l'homme de vos pensées; pour un homme: un ami sûr et loyal qui partage vos secrets.

5. Pour une femme: mariage d'amour avec un jeune homme blond; pour un homme: considération publique, succès en vue.

Carte renversée: contrariétés, obstacles et retards.

DROITE

RENVERSEE

DIX

1. Grande joie dans le domaine sentimental.

2. Amour heureux et avantageux imprévu.

3. Anxiété, inquiétude à propos d'un amour dont on n'est pas sûr.

4. Triomphe sur les commérages et les potins malveillants.

5. Promotion dans la profession grâce à la sympathie que vous inspirez.

Carte renversée: désaccord en amour, souffrances spirituelles.

DROITE

RENVERSEE

85

NEUF

1. Un conjoint ou un ami qui vient de loin.

2. Insatisfaction dans la vie sentimentale du moment.

3. Sérénité et accord avec le conjoint.

4. Succès et rapprochement dans le domaine amoureux.

5. Carte de bon augure: considération de la part des gens, ambition satisfaite.

Carte renversée: stratégie qui porte ses fruits.

DROITE

RENVERSEE

HUIT

1. Un voyage imminent qui vous apportera des satisfactions.

2. Réussite dans une entreprise.

3. Echec en amour auprès d'une personne blonde.

4. Bonnes nouvelles imprévues de la part d'un ami.

5. Grande prospérité et sérénité spirituelle, accord en amour; mariage possible avec une personne blonde.

Carte renversée: satisfaction passagère.

DROITE

RENVERSEE

87

SEPT

1. Petit voyage.

2. Période de mécontente- ment et d'insatisfaction sentimentale.

3. Mariage, ou union, qui présente beaucoup d'avantages.

4. Projets créatifs difficiles à réaliser.

5. Pessimisme et manque de confiance en sa propre réussite.

Carte renversée: possibilité de succès entravée par un volte-face.

DROITE

RENVERSEE

88

SIX

1. Une aventure sentimentale peu importante.

2. Une passion qui s'évanouit vite.

3. La personne aimée donne de ses nouvelles.

4. Une situation difficile et embrouillée.

5. On devra supporter les conséquences d'une action du passé peu honorable, commise par négligence.

Carte renversée: un héritage d'une personne chère ou un cadeau sous forme d'argent.

DROITE

RENVERSEE

89

CINQ

1. Une union, ou un mariage sûr, qui sera reportée pour un certain laps de temps.

2. Un héritage imprévu de la part d'une personne qui vous aime bien.

3. Accord avec la personne qui vous est chère.

4. Propositions plaisantes dans le domaine sentimental.

5. Noces heureuses sous de bons auspices.

Carte renversée: arrivée d'une personne chère qui vient de loin.

DROITE

RENVERSEE

QUATRE

1. Attention à ne pas agir avec maladresse.

2. Trahisons et tromperies en affaires et en amour.

3. Un événement proche déplaisant.

4. Contretemps et retards.

5. Carte de mauvais auspice: ennuis; projets qui ne se réaliseront pas.

Carte renversée: danger d'un grand préjudice.

DROITE

RENVERSEE

91

TROIS

1. Une satisfaction personnelle très importante.

2. Un progrès inespéré à propos d'une question difficile.

3. Période de créativité artistique.

4. Participation au succès d'un ami.

5. Un projet auquel on tient tout particulièrement se réalisera.

Carte renversée: une période difficile se termine.

DROITE

RENVERSEE

DEUX

1. Triste nouvelle venant de loin.

2. Triomphe en amour.

3. Relations affectueuses en famille et en amitié.

4. Prémices de projets de mariage.

Carte renversée: peine sur le plan sentimental.

DROITE

RENVERSEE

93

Carreaux

Les cartes qui portent la couleur des carreaux se réfèrent au monde des événements pratiques, des biens matériels, de l'argent, des affaires; elles prédisent le triomphe, des retards, la promotion professionnelle, des avantages ou des inconvénients imminents, l'encaissement de sommes d'argent, des voyages, la fidélité de certains amis, des appuis solides de la part de personnes influentes, la domination sur autrui, la prospérité économique. On peut dire que les cartes de la famille des carreaux symbolisent les faits de la réalité concrète.

AS

1. Lettre ou coup de fil pour affaires.

2. Nouvelle ou lettre annonçant de bonnes nouvelles.

3. Nouvelles imminentes à propos de la solution d'un problème de travail.

4. Carte de bon augure: grosses rentrées d'argent en vue.

5. Conclusion heureuse d'une affaire après avoir surmonté de nombreuses difficultés.

Carte renversée: joie pour la naissance d'un projet fructueux.

DROITE

RENVERSEE

ROI

DROITE

1. Une connaissance puissante et riche qui peut vous appuyer.

2. Amitié et mariage riche.

3. Un homme mûr qui occupe une position importante.

4. Danger de la part d'une personne puissante qui essaye de vous opprimer.

5. Carte de bon augure qui annonce un important héritage; de la promotion dans le travail.

RENVERSEE

Carte renversée: suivez les conseils pratiques d'un homme puissant et pratique.

98

DAME

1. Visite d'une amie dont les conditions financières sont·solides.

2. Une femme puissante pleine de malveillance.

3. Femme provinciale grossière, blonde, qui aime les commérages.

4. Une femme frustre et malveillante.

5. Carte de bon augure: rentrée d'argent, plaisirs de la chair.

Carte renversée: une amie riche vous accorde sa protection.

DROITE

RENVERSEE

99

VALET

1. Un jeune homme qui fait des propositions.

2. Facteur ou homme public qui est porteur de bonnes nouvelles.

3. Mauvaises nouvelles.

4. Un homme blond, jeune et riche.

5. Arrivée de nouvelles concernant une affaire (bonnes ou mauvaises selon la carte qui suit).

Carte renversée: nouvelles au sujet d'un problème qui finira mal.

DROITE

RENVERSEE

DIX

1. Projets dans la maison ou en famille.

2. Grande joie qui vient de loin.

3. Voyage ou changement de situation.

4. Une réunion insouciante et réjouissante.

5. Difficultés, retards: réussite finale après une période de lutte.

Carte renversée: un projet ou un voyage qui se réaliseront.

DROITE

RENVERSÉE

NEUF

1. **Retard dans la résolution d'un problème.**

2. **Une affaire d'argent ou d'amour qui est reportée.**

3. **Un avantage plus ambigu que prévu qui vous rend nerveux.**

4. **Ennuis et contretemps avec succès final mesuré.**

5. **Carte de mauvais augure: ce que vous attendez sera entravé par des obstacles imprévus qui provoqueront un retard.**

Carte renversée: le retard sera bref.

DROITE

RENVERSEE

102

HUIT

1. Arrivée d'une petite somme d'argent.

2. Proposition d'affaires de la part d'un homme.

3. Obstacles dans le travail.

4. Un cadeau ou une proposition concrète et avantageuse.

5. Une réunion heureuse et fructueuse.

Carte renversée: perte d'argent; une affaire qui s'en va en fumée.

DROITE

RENVERSEE

SEPT

1. Quantité d'argent inférieure à ce qui était prévu.

2. Une petite promotion stratégique.

3. Nouvelles favorables imminentes.

4. Une réponse concernant le travail qui comporte des désaccords.

5. Possibilité d'une union d'intérêt.

Carte renversée: dommages provoqués par le manque de résolution.

DROITE

RENVERSEE

SIX

1. Perte d'un objet auque. vous tenez.

2. Absence d'une personne.

3. Une nouvelle qui tarde à arriver.

4. Complications non prévues.

5. Pour un homme: perte de prestige; pour une femme: trahison de la part d'une personne considérée comme fiable.

Carte renversée: une espérance se concrétisera à long terme.

DROITE

RENVERSEE

105

CINQ

1. Bon accord avec les amis.

2. Réconciliation prochaine sûre.

3. Une perspective de travail qui s'évanouit.

4. Inquiétudes pour des questions d'argent.

5. Un projet financier de haut niveau se réalisera.

Carte renversée: **problèmes d'ordre juridique, possibilité d'un procès.**

DROITE

RENVERSEE

106

QUATRE

1. On vous confiera un se-
   cret.

2. Une révélation d'importance primordiale.

3. De nombreux amis fidèles
   sur qui vous pouvez
   compter.

4. Réunions amicales rassé-
   rénantes.

5. Un amour passionné qui
   se terminera bien.

Carte renversée: vous perdrez
une occasion de succès.

DROITE

RENVERSEE

TROIS

1. Réussite d'une entreprise.

2. Ambition satisfaite.

3. Affaire qui se terminera bien en faisant preuve de diplomatie.

4. Petit changement.

5. Collaboration de la part d'une personne peu estimable.

Carte renversée: illusion déçue.

DROITE

RENVERSEE

DEUX

1. Petite surprise qui vous procurera de la joie.

2. Divertissements, réunions.

3. Une légèreté excessive dangereuse.

4. Jalousie et soupçons dans le domaine du travail.

5. Menace d'accident durant un voyage.

Carte renversée: un imprévu déplaisant.

DROITE

RENVERSEE

109

Trèfles

Les cartes qui portent la couleur des trèfles se réfèrent au monde des événements spirituels: réconciliations, paix du cœur, nouvelles apportant la peine ou la joie, états d'âme sereins, contrariétés, méditation, résignation; elles prédisent en outre le bien-être, l'équilibre, une sérénité voilée d'une certaine dose de mélancolie, l'absence de faits importants.

On peut dire que les cartes faisant partie de la famille des trèfles symbolisent la condition spirituelle présente et future du consultant.

AS

1. Triomphe, revanche sur toutes les difficultés; satisfaction spirituelle.

2. Meilleur moral grâce a un problème résolu.

3. Grande prospérité à venir.

4. Equilibre et grande sérénité; un peu de tristesse.

5. Carte de bon augure: facilités dans tous les domaines; élimine la signification funeste des cartes qui l'entourent.

Carte renversée: encaissement d'argent.

DROITE

RENVERSEE

113

ROI

1. Un homme qui tient une grande place dans votre cœur.

2. Homme de condition sociale élevée bien intentionné à votre égard.

3. Un homme d'un certain âge qui vous offre son appui.

4. Une nouvelle connaissance avec laquelle vous entretiendrez un profond rapport d'amitié.

5. Un ami d'âge mûr et brun qui vous trahira.

Carte renversée: union qui risque de se rompre.

DROITE

RENVERSEE

114

DAME

1. Une amie brune qui vous est attachée.

2. Femme brune jalouse et malveillante.

3. Une amie riche et peu généreuse.

4. Accord et sérénité avec une amie qui vous est chère.

5. Visite d'une parente riche.

Carte renversée: longue maladie.

DROITE

RENVERSEE

VALET

1. Pour une femme: un homme qui vous impliquera spirituellement; pour un homme: un amoureux de votre conjointe.

2. Jeune homme brun amoureux et loyal.

3. Un jeune homme qui n'a pas une conduite irréprochable.

4. Un homme brun qui vous enchante.

5. Pour une femme: passion violente pour un jeune homme qui se comportera mal; pour un homme: amie jeune de belle prestance.

Carte renversée: une action déloyale de la part d'un jeune homme brun qui pourra vous nuire.

DROITE

RENVERSEE

DIX

1. Réussite satisfaisante.

2. Voyage ou changement de situation.

3. Stabilité nerveuse, équilibre.

4. Climat affectif serein.

5. Carte neutre qui renforce la signification des cartes qui l'entourent; en principe: tristesse.

Carte renversée: une grosse surprise agréable.

DROITE

RENVERSEE

NEUF

1. Une nouvelle venant de loin.

2. Petit cadeau qui vous réjouit.

3. Succès sentimental, union en vue.

4. Une nouvelle connaissance.

5. Résolution d'un problème à votre avantage.

Carte renversée: déloyauté qui vous surprend.

DROITE

RENVERSEE

118

HUIT

1. Un changement spirituel en mieux.

2. Femme brune peu estimée qui entrave ·vos actions.

3. Conclusion favorable d'une affaire professionnelle.

4. Soupçons justifiés.

5. Une femme avec laquelle vous aurez une relation de travail.

Carte renversée: climat de travail très mauvais, ou bien, vous n'êtes pas content de votre travail.

DROITE

RENVERSEE

119

SEPT

1. Excursion qui vous détend.

2. Inquiétude au sujet d'une histoire d'amour.

3. Arrivée d'une faible somme d'argent.

4. Petite promotion dans la carrière.

5. Incertitude au sujet d'une question importante à résoudre.

Carte renversée: insatisfaction et mécontentement.

DROITE

RENVERSEE

120

SIX

1. Un danger que vous réussirez à surmonter.

2. Petit succès personnel.

3. Une lettre ou un coup de fil qui vous procureront de la peine.

4. Une situation qui devra être réglée pour retrouver la sérénité.

5. Projets pour le futur qui devront être réfléchis avant d'être exécutés.

Carte renversée: une désillusion grave.

DROITE

RENVERSEE

121

CINQ

1. Triomphe sur toute la ligne: carte de très bon augure.

2. Succès qui dépasse toute prévision.

3. Revanche future sur la situation présente.

4. Vous surmontez une période de maladie physique et de dépression.

5. Début d'un amour heureux et serein.

Carte renversée: un projet qui se réalisera et vous rendra serein.

DROITE

RENVERSEE

QUATRE

1. Maladie grave.

2. Une démonstration d'estime qui vous gratifiera.

3. Menace d'accident.

4. Un cadeau que vous êtes obligé de payer en retour.

5. Héritage ou grosse somme d'argent.

Carte renversée: ennuis sur le plan juridique.

DROITE

RENVERSEE

123

TROIS

1. Echec d'une chose à laquelle vous tenez.

2. Votre bon cœur sera trahi.

3. Un appui inespéré de la part d'une connaissance.

4. Résignation mélancolique.

5. Cœur tourmenté.

Carte renversée: une période difficile à traverser.

DROITE

RENVERSEE

DEUX

1. Souffrance à cause d'un volte-face de la part d'un(e) ami(e).

2. Esprit troublé.

3. Inquiétude et indécision.

4. Vous subirez une injustice.

5. Vous êtes au bord de la dépression nerveuse.

Carte renversée: obstacles et contrariétés qui vous abattent.

DROITE

RENVERSEE

Piques

Les cartes qui portent la couleur des piques se réfèrent au monde de la réalité dans ses aspects négatifs, aussi bien du point de vue pratique que spirituel; un échec inattendu, ou attendu, des personnages dangereux qui ne vous favorisent pas ou qui entravent même votre chemin, la séparation de l'être aimé, des dépressions, des maladies, le désespoir, les affaires qui vont mal, des imbroglios, de la douleur, des conflits, des ennuis légaux, la prison, la mort. On peut dire que les cartes de la famille des piques symbolisent tous les "malheurs" de la vie.

AS

1. Grand événement douloureux.

2. Tristesse, dépression.

3. Fin d'une histoire d'amour.

4. Carte neutre: si elle est suivie d'un 9 de pique, mort.

5. Ruine financière imminente.

Carte renversée: présage funeste, grande douleur.

DROITE

RENVERSEE

ROI

1. Un homme catégoriquement négatif, pas très jeune.

2. Une connaissance qui aura de l'importance dans votre vie mais dont il faudra vous méfier.

3. Un homme de loi ou un magistrat qui vous fera du tort.

4. Un homme mûr affligé.

5. Ennuis sur le plan juridique, dossier qui traîne.

Carte renversée: efforts pour vous nuire de la part d'un homme, mais qui ne réussiront pas à vous blesser.

DROITE

RENVERSEE

130

DAME

1. Une femme envieuse et médisante.

2. Solitude triste, veuvage.

3. Femme dans l'affliction en mauvaise santé.

4. Une veuve qui songe à se remarier.

5. Rupture douloureuse d'une union.

Carte renversée: une femme brune qui réussira à vous nuire.

DROITE

RENVERSEE

131

VALET

1. Un homme jeune sans principes moraux.

2. Une maladie imminente.

3. Jeune homme brun et affligé.

4. Contrariété; si près de l'as de pique: dépression grave.

5. Ennuis provoqués par un jeune indiscret.

Carte renversée: une mauvaise nouvelle.

DROITE

RENVERSEE

132

DIX

1. Surprise désagréable; le verdict négatif est atténué si les cartes voisines sont favorables.

2. Pleurs, peine, dépression.

3. Maladie qui dure.

4. Solitude et isolement.

5. Grande douleur dans la famille.

Carte renversée: vous surmonterez un danger imminent.

DROITE

RENVERSEE

133

NEUF

1. Mauvaise nouvelle en soirée.

2. Mort de l'un des parents.

3. Intrigues et retards dans les affaires.

4. Angoisse et pressentiment de la mort.

5. Carte de mauvais présage: près de l'as et du valet de pique: mort (si le consultant est un homme); près de l'as et de la dame de pique: mort (si le consultant est une femme).

Carte renversée: vous sortirez d'un grave danger.

DROITE

RENVERSEE

HUIT

1. Petit chagrin ou désillusion.

2. Amertume à cause d'une union manquée.

3. Tristes nouvelles.

4. Maladie.

5. Eloignement d'une personne.

Carte renversée: une personne qui a de mauvaises intentions envers vous.

DROITE

RENVERSEE

135

SEPT

1. Une circonstance qui vous mettra mal à l'aise.

2. Peines passagères.

3. Inquiétude de l'âme, ennuis et contrariétés.

4. Un chagrin d'amour de courte durée.

5. Carte pas entièrement négative: progrès possibles dans les affaires.

Carte renversée: perte d'une occasion favorable.

DROITE

RENVERSEE

136

SIX

1. Voyage, vacances avec un petit accident.

2. Une excursion reportée.

3. Un moment défavorable.

4. Retard pour la conclusion d'un problème.

5. Carte neutre; près du neuf de carreau: un ennui qui se résoud heureusement.

Carte renversée: rentrée d'argent, héritage.

DROITE

RENVERSEE

137

CINQ

1. Vous serez trahi malgré votre bon cœur.

2. Perte d'un objet de valeur.

3. Mélancolie due à la trahison d'un ami.

4. Une histoire complexe et embrouillée.

5. Carte de mauvais augure: manque d'énergie, passivité, vulnérabilité.

Carte renversée: une grosse duperie dans le domaine du travail.

DROITE

RENVERSEE

QUATRE

1. Une femme brune qui vous nuit.

2. Les affaires procureront de la peine et des soucis.

3. Maladie qui entraîne un abandon.

4. Ame désespérée.

5. Carte de mauvais augure: litiges et désordres dans votre activité.

Carte renversée: vous réussirez à surmonter les adversités.

DROITE

RENVERSEE

TROIS

1. Faiblesse et passivité vis-à-vis des ennemis.

2. Union d'intérêt sans amour.

3. Petite maladie.

4. Un changement en pire.

5. Un danger imminent provoqué par votre négligence.

Carte renversée: une personne du passé refait son apparition.

DROITE

RENVERSEE

DEUX

DROITE

1. Hésitation, faiblesse morale.

2. Un cadeau astucieux qui exige une contrepartie.

3. Petite dépression.

4. Argent attendu qui n'arrive pas.

5. Aboulie, passivité, manque d'énergie.

Carte renversée: amis sur lesquels vous ne devez pas compter.

RENVERSEE

Importance de la phraséologie en cartomancie

Comment évaluer le degré de culture du consultant

Nous avons déjà dit précédemment que l'exercice de la cartomancie n'est pas une chose superficielle à la portée de tous. En effet, si au-delà de tout préjugé superficiel, on considère la cartomancie à sa juste valeur, c'est-à-dire comme une véritable doctrine dont l'approfondissement requiert de la constance et des études prolongées, on comprend facilement quelles devraient être les qualités théoriques d'une personne qui désire se consacrer à cet art. Un cartomancien, ou une cartomancienne, qui se respecte est toujours une personne instruite qui a approfondi d'autres secteurs d'étude, avant d'aborder cette science occulte. En effet, le cartomancien (qu'il tire les cartes aux amis ou aux parents, ou à des personnes étrangères) doit posséder un certain degré de culture et d'intuition psychologique pour pouvoir prédire le futur avec sérieux et de façon appropriée, tandis que ces qualités ne sont pas requises pour le consultant. En bref, le cartomancien devra "étudier psychologiquement" le sujet qu'il a en face de lui et qui — à ce moment-là — dépend entièrement de lui (ou d'elle). Avant de commencer le "jeu", il essaiera donc d'avoir un certain dialogue avec la personne intéressée de façon à pouvoir le cataloguer. Il pourra lui demander quel type de profession il exerce, s'il est marié ou non, s'il a l'habitude d'interroger le destin par les cartes ou si par contre c'est la première fois qu'il s'adresse à la cartomancie. Dans ce cas, il se trouvera devant un sujet anxieux et un peu méfiant. Le cartomancien ou la cartomancienne doit recueillir un certain nombre d'informations (en agissant avec habilité et amabilité) durant cette conversation préliminaire. Non pas dans l'intention "d'embrouiller" les idées du consultant, comme le croient les profanes, en se faisant raconter quels sont ses souhaits pour le futur, mais au contraire, pour se faire une idée générale du sujet, pour comprendre du point de vue psychologique, sa situation d'esprit et son degré de culture. C'est sur ce sondage préliminaire que le cartomancien se basera pour donner un verdict qui soit le plus proche possible de la réalité, en utilisant un langage approprié. Ce langage sera extrêmement simple pour une personne élémentaire, plus détaillé et plus choisi pour une personne érudite.

Le langage "facile" et le langage "difficile"

Il n'est pas si simple de faire une distinction nette entre langage "facile" et langage "difficile", car ce qui peut être facile pour une personne, semblera incompréhensible à une autre.

Est difficile, tout ce que l'on ne comprend pas. Mais en règle générale, disons qu'une bonne cartomancienne doit savoir utiliser plus d'une seule formule de discours. C'est-à-dire que la même prédiction pourra être formulée de plusieurs façons, selon la personne que l'on a devant soi. Si le consultant, après un dialogue préliminaire, semble être une personne simple dont la culture est limitée, la cartomancienne choisira un vocabulaire clair qui reflète néanmoins le contenu exact de la prédiction. Elle évitera donc les paroles difficiles et se limitera au vocabulaire du langage courant, pour être sûre d'être bien comprise et suivie. Ce qui est important, c'est de créer un climat de compréhension mutuelle; et dans ce cas, c'est la cartomancienne qui doit s'adapter au consultant. Si par contre, elle remarque qu'elle a affaire à une personne cultivée, elle pourra utiliser — pendant la lecture des cartes — des termes plus techniques, car elle sera sûre d'être vraiment comprise. En tout cas, souvenez-vous qu'une prédiction par monosyllabes et composée de termes qui n'ont aucun enchaînement entre eux, déçoit même la plus inculte des personnes.

Comment lier le discours divinatoire

Nous avons dit "discours divinatoire" avec intention: en effet, la prédiction ne peut être faite qu'au travers d'un discours complet. L'habileté d'un cartomancien consiste également à savoir lier les phrases de son discours, à rendre un verdict sous forme d'une histoire brève qui a pour sujet le passé immédiat, le présent et le futur du consultant. Tandis qu'il pourra être plus bref et plus concis en ce qui concerne le passé proche (qui présente moins d'intérêt pour celui qui désire connaître son avenir), il s'arrêtera sur la situation présente et s'étendra ensuite sur le futur en l'analysant dans les moindres détails. En effet, le futur représente le sujet qui tient le plus à cœur au consultant. Par conséquent, le cartomancien ne doit pas être pressé: après avoir étudié la signification de chaque carte découverte (deux, trois ou plus, selon les méthodes) il "unifiera" le discours en synthétisant la signification du groupe de cartes, de manière à fournir une réponse homogène.

Prenons un exemple pratique. Une jeune fille vous consulte: dans ses cartes apparaissent de suite l'as de cœur, le valet de trèfle et la dame de pique; vous ne devrez pas vous borner à dire: triomphe en amour, passion, un jeune homme brun qui n'a pas une conduite irréprochable, une femme brune et seule qui désire se remarier. Au contraire vous devrez dire: "prochainement vous connaîtrez un véritable triomphe en amour, vous serez même bouleversée par une passion pour un jeune homme brun, dont vous devrez pourtant vous méfier car moralement, il n'est pas irréprochable; en effet, voici une femme brune et seule qui pense à se remarier et qu'il fréquente à votre insu".

Nous vous avons donné plusieurs significations pour une même carte, mais de façon concise et vous choisirez celle que vous préférez. Il vous reste donc à créer à leur lecture un rapport entre les diverses cartes et à "lier" le discours (vous l'apprendrez avec la pratique).

Comment atténuer les prédictions funestes

Le cartes de la famille des piques sont les cartes négatives du jeu, les cartes "méchantes" qui prédisent les obstacles et les peines. Parmi ces cartes se trouve également la carte (ou le groupe de trois cartes) qui prédit la mort du consultant ou de personnes qui lui sont chères, les cartes qui indiquent des embûches, la douleur, le désespoir. Ainsi qu'il en est dans la vie réelle (que le jeu de cartes symbolise) les événements futurs prédits par les cartes seront soit heureux soit douloureux. Cela dépend de la chance qui accompagne le consultant ou qui lui fait défaut. L'habilité du cartomancien (c'est peut-être la vertu la plus importante d'un cartomancien expert) consiste à exposer les prédictions funestes de façon voilée, sans mentir pour autant. Il ne faudra jamais dire directement à une personne "vous allez bientôt mourir", même si cela correspond à la vérité selon les cartes. Dans ce cas, on pourra masquer cette prédiction lugubre avec une phrase plus élaborée, comme: "vous traverserez une période difficile, je vois une maladie grave à laquelle il faudra prêter beaucoup d'attention", etc., etc. Vous agirez de même s'il s'agit d'une débacle financière, d'un procès ou d'autres perspectives aussi peu réjouissantes. Tout en survolant les cartes dont la signification est négative — et que vous lirez en tout cas avec diplomatie — vous essaierez de mettre l'accent sur les cartes dont la signification est neutre ou plus heureuse pour ne pas trop effrayer le consultant.

Santé, amour, argent, imprévu

Les secteurs de la vie humaine d'intérêt commun

Chaque personne a sa singularité et est un monde en lui-même; les hommes se différencient par leur façon de penser, d'affronter la réalité, les opinions, les préjugés, les superstitions, etc. Il n'existe pas une personne identique à une autre; bien sûr, il peut y avoir des similitudes, mais jamais une identité physique et spirituelle. Pourtant, malgré ces modes d'être infiniment divers, il existe des éléments d'intérêt commun (même entre des personnes de pays et d'origine différente) grâce auxquels une personne peut comprendre une autre personne. Le destin de chaque individu est unique cependant, tous les destins humains ont en quelque sorte des "rails" fixes le long desquels ils s'accomplissent. Ces rails communs (outre la naissance, la vie et la mort) sont représentés par des secteurs qui interfèrent dans chaque existence et la règlent, secteurs qui ne dépendent pas de nous, mais de la chance, du hasard, du destin: la santé, l'amour, l'argent et... l'imprévu.
La santé est l'élément primordial et essentiel pour tous et nous permet de vivre une existence pleine et intense. Sans la santé, tout événement perd sa valeur, devient flou, sans intérêt. Du point de vue concret, même l'argent, conçu non comme richesse mais comme moyen approprié de

"consommation" a une certaine importance. Une personne qui n'a pas assez d'argent pour vivre et qui est peut-être criblée de dettes aura l'âme tourmentée et pas assez libre pour jouir pleinement de la vie, de même qu'une personne malade ne peut être sereine. Il est également vrai que chaque élément physique ou spirituel, comme la santé, l'amour, l'argent, l'imprévu, revêt une importance particulière et influe très souvent sur les autres secteurs; ainsi, une personne solitaire et non aimée peut tomber plus facilement malade qu'une autre, et une personne qui est dans la gêne peut oublier ses ennuis financiers grâce à un amour passionné. Tout ce qui arrive à l'homme est donc lié de façon indissoluble. Malheureusement, nous devons traiter ces diverses sphères de façon séparée.

LE MONDE DE L'AMOUR

Une vieille chanson populaire dit "… on ne peut vivre sans amour". Tout le monde sait que l'amour est le sentiment qui fait mouvoir la vie. Amour donné, amour reçu, mais toujours amour. L'enfant grandit entouré de l'amour maternel, l'adulte établit un rapport positif avec le monde grâce à l'amour d'une compagne ou d'un compagnon, le vieillard a besoin de l'amour de ses petits-enfants. L'amour sous tous ses aspects: passion, affection, tendresse, chaleur, compréhension, amitié; parce que l'amour est une nourriture spirituelle dont nous avons tous besoin.
Il est donc logique que l'amour occupe une place de choix en cartomancie, étant donné que les cartes reflètent des situations humaines qui doivent encore se produire et qui sont désirées ou redoutées, selon les cas. En principe, les personnes qui interrogent les cartes, veulent en premier

lieu des informations détaillées sur les rapports affectifs, sur le monde de l'amour. Une cartomancienne experte — qui connaîtra donc à fond l'âme humaine — sait quelle est l'importance de ce secteur pour le consultant. C'est pourquoi il faudra s'étendre sur ce sujet capital en effectuant une lecture attentive et détaillée des cartes. Le monde de l'amour dans toutes ses nuances est symbolisé par les cartes qui portent la couleur des cœurs. Attention, cependant: tandis que la lecture de cartes "définies" comme l'as, le roi, la dame et le valet de cœur est plus facile, celle des cartes de moindre valeur (du 2 au 10 de cœur) sera plus complexe. Bien que ces cartes représentent un sentiment atténué par rapport au grand amour ou à la passion sans limites, elles ont néanmoins leur poids dans le tableau divinatoire général et devront donc être interprétées avec attention. Il est typique de la part des cartomanciens qui en sont à leurs premières armes de concentrer toute leur attention sur les as et sur les figures pour "survoler" ensuite les cartes mineures dont la signification est pourtant tout aussi importante. Ne commettez pas cette erreur.

IMPORTANCE PSYCHOLOGIQUE DE L'IMPRÉVU

Chaque sphère des sentiments humains débouche dans un monde unique, impalpable, indéfinissable: celui de l'espoir. L'espoir est le fil conducteur de nos actions; on espère qu'un amour sera sans fin, qu'une affaire aboutira, guérir lorsqu'on est malade. Sans l'espoir — qui nous entraîne vers l'avant — l'élan, l'énergie vitale, le désir du lendemain n'existeraient pas. Le frère de l'espoir, c'est l'imprévu, cet élément inattendu et insondable qui donne à notre existence toute sa saveur. Chacun de nous —

durant les périodes fades et ennuyeuses — espère incons-
ciemment que l'imprévu relancera et modifiera en mieux
le cours de notre vie. Un coup de fil inattendu, une ren-
contre imprévue, une proposition de travail, un nouvel
amour nous réaniment. Nous exprimons ainsi — tous,
sans exception — notre confiance inconditionnelle dans le
destin, pris également comme "hasard". En bref, nous
attendons que la vie nous fournisse des "surprises". Malheureusement, ces surprises ne sont pas toujours agréables; alors nous reportons notre espoir sur les suivantes.
L'imprévu occupe une place de premier choix dans la cartomancie, cet art qui reflète les attitudes humaines. L'ap-
prenti cartomancien doit être bien conscient de cela. La
personne qui consulte "exige" (même si elle ne le mani-
feste pas verbalement) que le cartomancien se penche non
seulement sur des faits bien précis qui devront se produire
dans le futur, mais aussi des "surprises", des imprévus qui
en fait trouvent leur place dans la cartomancie.

Combien de temps les prédictions sont-elles valables?

Fréquence et régularité de la consultation: durée approximative d'une prédiction

Pour savoir avec une certaine approximation combien de temps vaut une prédiction, il faut faire attention à la méthode utilisée. Mise à part la "pensée du oui ou du non" dont la prédiction s'épuise au moment même où on la prononce, les méthodes les plus faciles à exécuter sont, en principe, celles dont la prédiction a la plus courte durée.

En général, le verdict des tours les plus simples se vérifie en peu de temps: au bout d'une à deux semaines. Après quoi, on peut à nouveau tirer les cartes à la même personne. Les méthodes les plus élaborées, du type "le grand jeu", donnent une réponse divinatoire qui a une durée de quelques mois (normalement de deux mois). Mais il y a quelques exceptions à cette règle générale.

On raconte que Joséphine Bonaparte se faisait tirer les cartes chaque mardi, mercredi et vendredi pour vérifier si le destin avait par hasard changé son cours en peu de jours. La célèbre cartomancienne, Mademoiselle Lenormand faisait de même et consultait presque tous les jours les cartes au sujet de son avenir amoureux, immédiat. Au cours des périodes "fluctuantes" de la vie, lorsque des événements importants mais pas encore bien définis par le destin s'annoncent, on pourra consulter les cartes avec plus d'assiduité, sans risque d'erreur. A la rigueur, les cartes "refuseront" de rendre leur verdict, soit parce qu'elles sortiront en nombre inapproprié, soit parce qu'elles reflèteront — dans leur signification symbologique — une certaine ambiguïté et l'impossibilité de cerner la période vécue par le consultant.

Les jours propices pour prédire l'avenir

LA TRADITION DU MARDI ET DU VENDREDI

La prédiction, comme toutes les sciences occultes, a des rituels bien précis qu'il ne faut pas enfreindre; couper le jeu de la main gauche ou "main du cœur", organiser la séance dans un endroit retiré, se placer dans une position favorable pour créer le "feeling". Parmi les divers rites transmis par la tradition, le jour de la semaine le plus propice aux séances divinatoires joue un rôle d'importance primordiale. La tradition veut que l'on "tire les cartes" le mardi et le vendredi, jours pendant lesquels la prédiction est la plus véridique. Le mardi et le vendredi sont les jours où dominent le destin, Mars et Vénus; ce sont des jours "magiques" et par conséquent des jours propices pour prédire l'avenir. Certaines écoles de cartomancie incluent également le mercredi comme jour propice à la prédiction, car c'est un jour en "r". Le lundi, le jeudi, le samedi et le dimanche qui ne contiennent pas de "r" requis sont donc à exclure absolument, En vérité, le fait d'inclure le mercredi parmi les jours magiques est une concession, un élargissement qui remonte à une époque relativement récente. Les écoles de cartomancie les plus rigides continuent à s'en tenir au mardi et au vendredi qu'elles considèrent comme les seuls jours réellement magiques consacrés par la tradition la plus ancienne.

Lorsqu'il y a la pleine lune ou nouvelle lune

Toutes les normes ont toujours "une exception qui confirme la règle". Même dans notre cas; en effet, la science de la cartomancie admet que l'on puisse prédire le futur pendant les jours de pleine lune ou de nouvelle lune; ces jours sont notifiés sur les calendriers "hollandais" qui indiquent les phases de la lune. La pleine lune est représentée par une lune blanche, la nouvelle lune par une lune noire. Il s'agit de jours particuliers du mois où les vibrations lunaires sont plus fortes. Pendant ces jours, la prédiction est sûrement véridique. D'ailleurs, les diverses phases de la lune n'influencent-elles pas les marées, les naissances, les décès? Les paysans ne mettent-ils pas le vin en bouteille pendant la lune décroissante, pour éviter qu'il ne tourne au vinaigre? On sait depuis des temps immémoriaux que l'attraction de la lune a une influence sur notre monde. La cartomancie qui est strictement apparentée à la magie se sert de ces jours particuliers pour obtenir une bonne prédiction, car ainsi que le disait Mademoiselle Dubigny, "les esprits s'affinent et deviennent plus vibrants et plus réceptifs". Si la nouvelle lune ou la pleine lune tombent par hasard un mardi ou un vendredi, la journée sera doublement propice pour tirer les cartes. En ce qui concerne l'heure, sachez qu'il n'existe pas une heure "appropriée"; toutes les heures de la journée choisie selon les critères énoncés sont bonnes. Vous choisirez donc le moment de la journée que vous préférez, celui où votre esprit est le plus disponible pour "tirer les cartes".
Rappelons pour finir ces propos de Mademoiselle Aliette: "Il y a de l'humanité dans la cartomancie".

Table des matières

*Achevé d'imprimer
en janvier 1990
à Milan, Italie, sur les presses de
Lito 3 Arti Grafiche s.r.l.*

*Dépôt légal: janvier 1990
Numéro d'éditeur: 2288*